16

DON ALVARO

Edición e Introducción de
JORGE CAMPOS

PRIMERA EDICIÓN: marzo 1963
SEGUNDA EDICIÓN: octubre 1968
TERCERA EDICIÓN: septiembre 1970

©' 1970 TAURUS EDICIONES, S. A.
Pl. del Marqués de Salamanca, 7 - Madrid-6
Depósito legal: M. 19402-1970

ANGEL DE SAAVEDRA

DUQUE DE RIVAS

DON ALVARO
O
LA FUERZA DEL SINO

TAURUS

MADRID

INTRODUCCION

DON Álvaro o la fuerza del sino es la más representativa de las obras dramáticas del romanticismo español. Durante mucho tiempo, en razón de un paralelismo con el movimiento romántico francés, fue considerada como el *Hernani* de nuestra escena. Su vigencia se mantuvo a lo largo de la época isabelina y ya entrado el siglo XX quedó como repertorio obligado de toda compañía joven, compartiendo con el *Don Juan Tenorio,* de Zorrilla, el aplauso popular hacia una escuela ya sobrepasada, pero que aún se defendía gracias a sus valores teatrales.

Cuando se estrenó, el 22 de marzo de 1835, ya habían subido a las tablas hispanas obras que lograban el favor de un público con algo muy distinto al viejo teatro criticado por Moratín en la *Comedia Nueva,* y también a la comedia urbana o sentimental que había tratado de sucederle. *La conjuración de Venecia,* de Martínez de la Rosa (1834) y *Macías,* de Larra (1834), cargadas de elementos románticos, eran un antecedente que bastaba para anunciar un nuevo modo de entender el teatro. Pero fue *Don Álvaro* la pieza destinada a servir de hito, a dejar instaurado en las tablas un movimiento que pugnaba también por triunfar en la poesía, la novela y el arte, al tiempo que iba impregnando los modos de vida. Después vendría *El trovador* (1936), de García Gutiérrez;

Los amantes de Teruel (1837), de Hartzenbusch; *El zapatero y el rey* (1840), *El puñal del godo* (1843), *Don Juan Tenorio* (1844) y *Traidor, inconfeso y mártir* (1849), de José Zorrilla.

El romanticismo se había ido abriendo paso en España con lentitud impuesta por la presión que ejercieron sobre las letras las etapas de gobierno absolutista. La parsimoniosa introducción de un nuevo sentido de visión artística, tal como la muestra la única revista permitida en los últimos años de Fernando VII, *Cartas españolas,* se acelera con el regreso de los emigrados políticos, amnistiados a la muerte del monarca. Entre ellos, junto a su precursor, Alberto Lista, Espronceda, y dos amigos que habían dedicado muchas horas a charlar de literatura en los largos días del exilio parisiense: Antonio Alcalá Galiano y Ángel de Saavedra, el Duque de Rivas.

La lucha entre los mantenedores de un clasicismo sin vigor y los jóvenes románticos, estaba planteada. No con los extremos ni las características que en Francia, pero estaba planteada. Y *Don Álvaro* se presentó, aunque sin las características de batalla definitiva y ruidosa del *Hernani* de Hugo, si como una notable novedad. Nos lo muestran los anuncios con que se fue preparando el clima para el estreno. El primero, mes y medio antes, ya hablaba de que se iba a estrenar un "drama nuevo romántico y original y en verso y prosa, titulado *Don Álvaro*". La calificación no era dudosa: romántico, y por si había alguna duda, ahí estaba ese "en verso y prosa" para desvanecer su posible sumisión a las reglas que los antirrománticos reclamaban.

Al mes siguiente, otra gacetilla, en la que parece verse la mano del gran amigo del Duque de Rivas, Alcalá Galiano, que era pluma esencial en el periódico en que apareció, revela su intención de crear en torno al estreno las hablillas necesarias para que existiera expectación, tarea en que le ayudaron, conscientes o no otros periódicos. Decía así:

"Hemos oído decir que el jueves 19 se pondrá en escena el drama del señor don Ángel Saavedra titulado *Don Álvaro*. Las noticias que de esta composición tenemos, nos hacen desear con ansia el momento de verla representada y esperar con fundamento que tendrá el éxito más brillante. Si así sucede, dará el público la última prueba de que no sólo en política sino también en literatura está por los progresos, y el nuevo triunfo del romanticismo, el triunfo decisivo que todavía no ha obtenido en nuestros teatros tan completamente como en otros de Europa, será la sentencia de muerte para cuatro antiguos criticones que como los *tories* exagerados de la literatura no transigen jamás con los *reformistas* de la última época, por agradables que sean al pueblo, y conformes a la naturaleza, las reformas apetecidas."

¿Se quería ver algo propio de la nueva escuela en todo su rigor? ¿Sin la menor concesión a reglas? Ahí van las noticias dadas por otro periódico, que redobla la calificación no sabemos si con ironía o intención combativa:

"Según la corta idea que tenemos de su argumento, no hay duda de que será románticamente romántico. Los personajes son muchos, los lugares de la escena varios, los géneros distintos de metros en que está escrito tantos acaso como pueden salir de la acreditada pluma del señor duque. Pronosticamos desde luego que esta producción causará grande efecto..."

Un intento innovador. Un mamarracho para quienes habían protestado contra otros intentos y aun habían hecho hundirse alguno, incapaz de superar con sus valores las características preceptivas de una dramática que se veía a sí misma antipreceptiva y libérrima, como ocurriera con *Amor venga sus agravios*, de Espronceda, y varias traducciones francesas, consideradas como teatro para arrapiezos y gente ignorante, gustosa sólo de ver en las tablas enredos y crímenes. Pero por lo menos, el mamarracho, si había de serlo, lo sería en cuanto al texto, porque la presentación escénica—otra gacetilla se encarga de decirlo—iba a superar lo que acostumbraban a ver los espectadores habituales de los teatros madrileños:

"Se nos asegura que nunca se han hecho en nuestros teatros ensayos más minuciosos y esmerados que los que ha obtenido el drama que estrena en el Teatro del Príncipe el señor Duque de Rivas. Hay en él dieciséis decoraciones, cerca de cuarenta interlocutores y gran abundancia de versos hermosísimos. Desde luego aseguramos que no habrá un billete de sobra."

Así se llegó al día del estreno, en que un periódico, *La abeja,* publicó el último de esta serie de anuncios, capaces de abrir el apetito a los más desganados y que Azorín en su *Rivas y Larra* ha calificado de "verdadero y breve manifiesto del romanticismo":

"Hoy es el día destinado para la primera representación de *Don Álvaro o la fuerza del sino.* No pocas veces hemos oído decir que el romanticismo es en literatura lo que la libertad en política. Si ese aserto es falso, no por eso dejaremos de ponernos de parte del que sacudiendo las mezquinas trabas que el rigor de los clásicos impuso al vuelo de la inspiración, consulta sola a su alma para transmitir los afectos que experimenta; y si es verdadero como lo hemos leído en un periódico de esta capital, no dudamos que el público que ha dado y da tantas pruebas de querer toda libertad posible para su patria, quiera sólo cadenas para nuestra escena."

Y el estreno tuvo lugar. El público acudía ya predispuesto en uno u otro sentido. La distancia nos permite afirmar hoy que sin los valores teatrales de que está cargada la obra hubiera naufragado vertiginosamente. Allí estaban todos los románticos con sus aplausos. Pero también los que ya llevaban años predicando por una renovación del teatro frente a la vieja comedia española y veían ahora que se les echaba encima una ola que traía como novedad mucho de lo que ellos consideran vejez. Y también estaba el público de teatro, sin prejuicios preceptivos, con mucha solera en ver actuaciones, atraído por los actores, las tramas, las fórmulas a que estaba acostumbrado.

Nadie mejor que un periódico, aquel en que trabajaban algunos de sus amigos, sobre todo Alcalá Galiano, para lograr una síntesis de lo ocurrido el día del estreno, en que la pasión no quita objetividad:

"Los espectadores estaban llenos de extrañeza durante la presentación del drama. Hubo quien queriendo condenar la pieza sólo condenó el género a que pertenece. Hubo quien la tachó de carecer de interés, no considerando que en ella no está el interés en la trama, sino en la realización del concepto poético de que es hija la composición. Hubo quien con justicia tachó algunas prolijidades que el autor ya ha empezado a corregir. Hubo también quien admiró lo bueno y se preparó a defenderlo más despacio. Al caer el telón no podemos ni queremos ocultar que fueron más los desaprobadores que los aprobadores. En estos casos ya se sabe que el público es juez, pero no juez tirano, y de su sentencia hay apelación y súplica como en los demás tribunales. Ni tampoco ha habido fallo contrario, pues estaban los jueces inciertos y divididos. Nosotros esperamos que la causa sea bien examinada..."

La curiosidad y el aplauso lograron que si no un éxito como podríamos figurarnos con arreglo a nuestros actuales cánones, se pusiera la obra durante nueve representaciones seguidas—tres o cuatro era lo corriente—, llegando hasta diecisiete dentro del año. Su paso inmediato a provincias mostró cómo azotaba a España la revuelta romántica despertando pasiones bien lejanas de la correcta postura que deseaban los clasicistas. En Sevilla se la acogió con silbidos, mientras se la aplaudía en Valencia.

Si dejamos al público y acudimos a los críticos, encontramos la misma pasión y defensa de posiciones que en quienes ocupaban aposentos y lunetas, si bien expresadas con más mesura. La obra fue atacada—y bien defendida—desde muy distintos puntos de vista. Se la acusó de inmoral, y alguien respondió: "Yo no sé lo que es la inmoralidad dramática, pero me parece que probar las malas consecuencias de que se cuele el novio por la ventana es por lo menos tan moral como enseñarles a las niñas que el modo de casarse es engañar a su mamá y levantarse a media noche para dar o recibir papelillos, y esto es lo que hace Moratín en el *Sí de las niñas,* Moratín el rígido moralista."

Otras críticas, que los románticos consideraban de menor importancia, aunque tocaban a lo fundamental de sus teorías se despacharon con réplicas jocosas o superficiales: "¿Que tiene diecisiete decoraciones? Tanto mejor, con eso se recrea la vista. ¿Que muere mucha gente? ¡Y qué le importa a usted!, ¿son parientes?"

El fondo del asunto era el modo de entender el teatro. Por eso no se discutían los detalles. "Si es desatinada—decía un partidario—con sus desatinos la prefiero a muchas tragedias arregladas en cinco actos, con unidades, confidentes, desenlaces y todos sus requisitos; pero tan ajenas de faltas que a su conclusión

se comunica a la luneta el hielo
y el telón de fastidio viene al suelo".

De hecho *Don Álvaro* había triunfado. El teatro correcto, perfecto en su normatismo se retiraba, casi de un golpe. Los románticos preferían el ímpetu vital a la perfección. Bien claro está expresado en la frase anterior. Huían de unas reglas por mucha preceptiva aristotélica con que se las quisiera armar. Los románticos sentían que vivían unos tiempos nuevos que ellos mismos estaban forjando. Así lo escriben Larra o Alcalá Galiano, anónimos colaboradores del periódico. El segundo, pudiera asomar aquí por entre los bastidores de la obra levantada por su amigo, igual que hizo con la introducción a *El moro expósito* gozándose en el aparentemente secundario papel de eminencia gris en el romanticismo hispano:

"Quien niegue o dude que estamos en revolución, que vaya al teatro del Príncipe y vea representar el drama de que ahora me toca dar cuenta a mis lectores. No es cosa de poca monta su aparición en la escena con sus frailes y sus soldados, con sus extravagancias y sus lugares comunes, con sus altos y sus bajos, con sus burlas y sus veras, con sus cosas que huelen a doscientos años atrás y sus otras cosas flamantes, novísimas, con sus resabios de española antigua y sus señales de extranjería moderna. No se parecen más el gobierno a lo Calomarde y el Estatuto Real que el *Pelayo* o el *Sí de las Niñas* y *Don Álvaro o la fuerza del sino...*" Idea que se repite algo más adelante al referirse al triunfo ya imposible de regatear en toda Europa: "Por todas partes cunde la nueva doctrina a la par que la realidad, o el deseo de un gobierno representativo..."

El articulista tenía exacta conciencia de lo que la obra traía de nuevo, de lo que no eran capaces de comprender sus adversarios. Nos recuerda a Rubén Darío cuando queriendo bautizar su movimiento poético y no encontrándole parecido con nada de lo anterior expresaba que quería algo muy antiguo y muy moderno. Por eso trata de apartar la polémica del caso concreto del drama y de sus particularidades, que al ser discutidas al pormenor pueden desenfocar el verdadero problema a debatir: No hay que discutir esta obra sino lo que representa:

"Se ataca el romanticismo, o la regla de ausencia de reglas que así se llama, y las faltas que más se critican en la pieza son faltas no de inadvertencia, sino cometidas a sabiendas y con la firme creencia de que no son faltas..."

Recojamos algunas de ellas:

"Acusan al autor de que en su composición hay escenas bajas en que se habla mala prosa; verdad es que las hay, pero ¿y qué? Las hay porque juzgó el autor que el teatro debe ser una copia de la vida humana, en que lo bajo y lo alto, lo sublime y lo grosero, lo burlesco y lo triste, se tocan y cruzan entre sí a cada paso, porque juzgó que al lado de la naturaleza ideada y desenvuelta de una manera poética, debía presentarse la naturaleza revestida de sus formas ordinarias, así como el claro oscuro es quien permite a los ojos distinguir las partes diversas de una pintura.

Pero y estas escenas bajas, ¿no son inconexas, episódicas casi, del principal argumento? Sí; porque lo mismo sucede en la realidad, porque lo que para uno es asunto de vida y muerte es para los demás objeto de conversación pasajera..."

Con el mismo calor con que hemos visto proclama la tendencia artística y dramática representada por el *Don Álvaro* defiende el crítico todo el drama. Veamos alguna de sus opiniones: En primer lugar, es una obra de corte completamente nuevo "de especie muy distinta de cuanto hemos visto algún tiempo acá y estamos viendo en nuestro teatro". Y más adelante especifica: "*Don Álvaro* no es una comedia, ni una tragedia, ni una tragicomedia, ni una pieza por el estilo de las sentimentales de Diderot, o Beaumarchais, o Kotzebue, ni está ideado como preceptuó Aristóteles, o Horacio, o Boileau, o Cascales, o Juan de la Cueva, predicador de una doctrina y gran pecador contra ella, o Luzán, o Montiano, o Moratín, ni se parece a nada, más o menos antiguo..." Suprimimos la repetición de una idea ya expresada anteriormente acerca de la conjunción de lo antiguo y castizo con innovaciones extranjeras, para concluir: "Es una cosa de nuestro tiempo, pues estamos en 1835 y no en 1820, ni en 1808, ni en 1780..."

Por ejemplo, una de las novedades es el modo como se presenta el personaje central "no por revelación hecha a un confidente a uso de tragedia francesa, ni por un monólogo, a uso de Alfieri, ni por una relación a uso de Calderón, sino por la conversación que allí pasa..."

Novedad, y batalla por la novedad. Para Alcalá Galiano no eran lo importante ni el público que aplaudía ni el que había protestado, sino el formado por la mayor parte de los espectadores, el que había reaccionado con asombro ante la riqueza de la acción y la sucesión de hechos que, cargados de grandeza habían pasado ante sus ojos.

Es la misma impresión que quieren destacar los redactores de *El Artista,* la más bella y romántica de las revistas españolas del pasado siglo, contemporánea del *Don Álvaro.* En ella se habla de triunfo y de triunfo que sus redactores—Pedro de Madrazo, el malogrado Campo Alange, Cueto, Espronceda...—se apuntan jubilosos:

"La infracción de las unidades rutinarias, el número de los actores, la circunstancia de salir alguno de ellos solo en una escena y la colocación de las situaciones altamente trágicas al lado de otras vulgares y chocarreras ha alarmado a los clásicos; y creyendo justamente que su despotismo literario vacilaba, han multiplicado las diatribas para sofocar en su origen estas innovaciones peligrosas, capaces de empañar sus rancias glorias; pero en balde, por fortuna de los buenos estudios: la naciente Europa se ha declarado partidaria del bando libertador del yugo clásico y la juventud española ha corrido a participar de la gloria de sus banderas."

Así ha quedado *Don Álvaro* en la escena y en el romanticismo español como la encarnación de un personaje que cruza llevando consigo—si no un satanismo consciente—una fuerza, ese destino del título, que va causando el mal a los que le rodean y se relacionan con la mujer amada. Personaje un poco marginal de la sociedad, como los héroes de los poemas esproncedianos no acabarán sus desdichas hasta su propio suicidio, que coincide con la caída del telón en medio de una tempestuosa escenografía superromántica. En el desarrollo de sus trágicas peripecias late también una denuncia de unas costumbres y un pasado, que de casualidad en casualidad pueden forjar el ciego destino que arrastra al protagonista.

Casi no es necesario decir—lo han dicho ya los críticos contemporáneos a que hemos recurrido—lo característicamente romántico de la obra en cuanto a su construcción, las deliberadas y violentas rupturas de las unidades de acción, tiempo y lugar; la polimetría digna del viejo teatro español, a la que se une la mezcla de verso y prosa, incluso en una misma escena. El papel que en aquél ejercía el gracioso se acentúa aquí añadiendo lo que es otra conquista del romanticismo en la narrativa: el costumbrismo, en el que se logran diálogos llenos de vida que hacían exclamar a Cueto: "escribimos desde Sevilla, y siempre que bebemos a la entrada el agua de Tomares, siempre que entramos en algún mesón andaluz vemos representar por los actores de la naturaleza una parte del *Don Álvaro.*"

Para los eruditos y críticos literarios presenta un problema *Don Álvaro:* el de su excesivo parecido con una novelita de Próspero Merimée titulada *Las almas del Purgatorio.* A primera vista podría pensarse, y de hecho se ha pensado, en que la novelita, aparecida en la *Revue de deux mondes* el 15 de agosto de 1834, denunciaba una apropiación, por parte del Duque de Rivas, de la narración del romántico francés. Mas hay otros datos que es preciso tener en cuenta. Alcalá Galiano, en sus *Apuntes para una autobiografía,* y refiriéndose a sí mismo, anotó, rotundamente:

"Durante su emigración en Tours hizo, en colaboración con el duque de Rivas, el plan del famoso *Don Álvaro,* y para sacar de él algún provecho se pensó representarle en Francia, a cuyo efecto llegó a escribirlo todo él, o poco menos, en lengua francesa."

La dedicatoria a Alcalá Galiano, de la primera edición, confirma sus apuntes:

"Como memoria de otro tiempo, menos feliz, pero más tranquilo, dedico a usted este drama que vio nacer en las orillas de la Loira...

... en esta obra impresa reconocerá usted la misma que con tanta inteligencia y mejoras puso en francés para que se representara en los teatros de París..."

Juan Valera, que tantas cosas conociera directamente por su trato con Rivas durante su estancia en Nápoles, también ha escrito algo parecido, según lo oyó contar no sólo al duque sino también a Galiano: "Parece que don Antonio Alcalá Galiano, que estaba en París con el duque, y también emigrado, fue quien tradujo el drama. Ya traducido, autor y traductor entregaron el drama a Prospero Merimée, el cual anduvo enteniéndoles largos meses con halagüeñas esperanzas que jamás se realizaron."

Hemos recogido hasta tres citas en torno al mismo episodio, porque esclarecen el parentesco o similitud con la obra de Merimée. Entre el cuento del romántico francés y nuestro *Don Álvaro* existe un número excesivo de coincidencias para poder pensar en una casualidad, pero por otra parte, no hay manera de llegar a una conclusión rotunda. El examen de las fechas expone que *Don Álvaro* fue escrito, como ya hemos dicho, en Tours, hacia 1832, y la novela de Merimée no apareció en la *Revue de deux mondes* hasta 1834, pero la prueba no es concluyente, porque aquella versión desapareció y la llevada a la escena fue reelaborada posteriormente, cuando ya podía haber leído Rivas el cuento del autor francés. De todos modos es difícil que rehiciera una obra sin conservar la mayor parte del argumento primitivo. La noticia de que Merimée tuvo en sus manos el manuscrito de los dos españoles ayuda a creer que en la mente del escritor francés, aún de un modo inconsciente, operasen sus peripecias, fuertemente teñidas del sentimiento romántico en boga.

Las analogías son abundantes: hay coincidencia en la época, vista, naturalmente con semejanza de escuela que hace difícil la atribución de plagio o imitación; el tipo del héroe, e incluso el hecho de que se alude a sus habilidades taurinas; su retirada del mundo después de sus primeras desventuras; desviación hacia la vida religiosa, en la heroína; la existencia y actuación de padres y hermanos de Leonor; las entrevistas nocturnas de los amantes; la muerte involuntaria causada al padre de ella; la existencia de un hermano vengador capitán en el extranjero—Flandes en una y en otra Italia—una escena del juego entre los oficiales, la llegada del vengador al lugar retirado donde los protagonistas expían su infortunio, la resistencia del religioso a batirse en duelo...

La idea central también guarda similitud: quien no se sobrepone una primera vez a sus impulsos se verá toda la vida perseguido por las consecuencias de esa falta. A ambas obras conviene la calificación de "Edipo cristiano" que alguna vez se ha dado a *Don Álvaro*.

Hasta aquí los parecidos. Las desemejanzas también son grandes. La primera está en la expresión y el estilo. A pesar de la identidad de situaciones y que la tesis que se desprenda de ellas sea la misma, también la disimilitud entre ambas obras es enorme.

En resumen: No hay por qué poner en duda lo que afirman en sus recuerdos Rivas y Galiano. Escribieron la obra y la llevaron a Merimée. Pasó el tiempo y en la mente creadora del escritor francés, apasionado por los temas españoles, que ya le habían servido para alguna de sus mejores obras, y que más de una vez había utilizado un cuento o una narración breve, ya existente, para inspirarse, pudo actuar la impresión que le dejara la lectura del manuscrito de los emigrados. Muchas de las semejanzas son fórmula en la narrativa del momento, verdaderos tópicos en el gusto romántico, pero son demasiadas y se producen en un mismo orden, lo que dificulta el que se pueda pensar en una total casualidad.

EL AUTOR

La obra presenta al autor. Este Duque de Rivas, que ostentaba el título desde 1834, en que muriera su hermano mayor, era uno de los emigrados que regresaron a la muerte de Fernando VII. Diputado y liberal en las Cortes de 1822, que tuvieron que replegarse a Cádiz ante el avance de los "cien mil hijos de San Luis", abandonó su asiento de diputado la víspera de la entrada de los franceses. Gibraltar, Londres, Malta—tema de una de sus más famosas poesías, pieza importante del romanticismo hispano—y Francia le acogieron en días decisivos para su formación romántica.

Su ruta biográfica antes de este momento crucial de su existencia no es menos movida. Había nacido en Córdoba el 10 de marzo de 1791. Segundón de una familia noble, le fue impuesta la Cruz de Caballero de Justicia de la Orden de Malta a los seis meses de edad y a los siete años obtuvo un despacho de capitán de caballería. Iniciados sus primeros saberes por un abate francés fugitivo de la Revolución, estudió luego en el Seminario de Nobles de Madrid. Oficial de guardias de Corps al producirse la invasión napoleónica se une a las fuerzas patrióticas y combate heroicamente en la batalla de Ocaña, donde cae gravemente herido. Vive los días del Cádiz de las Cortes y publica sus primeras *Poesías* en 1814, que se adelantaron en cuatro años a otra colección de poemas, mientras había gustado ya del aplauso de los espectadores teatrales con varias obras impregnadas del gusto neoclásico, aunque con tintes patrióticos o neorrománticos que pueden hacer pensar en su evolución posterior.

El regreso de la emigración le colocó en cabeza del movimiento romántico con la obra que comentamos y con *El moro expósito,* una de las primeras leyendas o evocaciones medievales en verso que tan claro camino iban a trazar en las letras hispanas. Nombrado miembro de la Real Academia española en 1834, toma parte en la vida literaria y política de la época isabelina, moderando el liberalismo de sus años juveniles. Ministro durante el gobierno que derribó la rebelión de los sargentos de La Granja hubo de volver al destierro, a un destierro menos prolongado y duro. En su obra posterior tienen importancia sus *Romances históricos* y otras obras teatrales: *El parador de Bailén* y *El desengaño en un sueño.* Escribió un relato histórico de la *Sublevación de Nápoles, capitaneada por Masaniello.* Diputado, Senador, Embajador en Nápoles y posteriormente en París, Académico de la Historia, Presidente de la Real Academia, Presidente de un Consejo de Ministros relámpago y emigrado casi relámpago otra vez, cargado de honores y estimación murió en Madrid el 22 de junio de 1865. Con su cuerpo se trasladaba humildemente al cementerio de un pueblo madrileño al que Valera calificó de la más original figura del romanticismo español, el autor de *Don Álvaro.*

BIBLIOGRAFIA

Don Álvaro o la fuerza del sino, drama original en cinco jornadas, en prosa y verso, de don Ángel de Saavedra, duque de Rivas. Madrid, 1835.

Obras completas de don Ángel de Saavedra, duque de Rivas, de la Real Academia Española, corregidas por él mismo. Madrid, 1854-55. (En el vol. IV. Teatro.)

Íd. Barcelona, 1884-85. (En el vol. II.)

Íd. Col. de Escritores Castellanos. 1894-1904. (En el vol. VI.)

Íd. Biblioteca de Autores Españoles. Madrid, 1957. (En el vol. CI.) Edición y prólogo de Jorge Campos.

Don Álvaro o la fuerza del sino. Santiago de Compostela. Col. Siete Estrellas. S. f. Prólogo de Benito Varela Jácome.

Don Álvaro o la fuerza del sino. Salamanca. Ediciones Anaya. 1959. Edición de Alberto Sánchez.

> *Todo el fondo erudito que ha servido para elaborar esta Introducción procede del estudio preliminar que acompaña a la edición del duque de Rivas, de la B. A. E. donde también puede verse toda la bibliografía complementaria.*

DON ALVARO
o
LA FUERZA DEL SINO

PERSONAJES

Don Álvaro.
El Marqués de Calatrava.
Don Carlos de Vargas, *su hijo.*
Don Alfonso de Vargas, *ídem.*
Doña Leonor, *ídem.*
Curra, *criada.*
Preciosilla, *gitana.*
Un Canónigo.
El Padre guardián del convento de los Ángeles.
El Hermano Melitón, *portero del mismo.*
Pedraza y otros oficiales.
Un Cirujano de Ejército.
Un Capellán de Regimiento.
Un Alcalde.
Un Estudiante.
Un Majo.
Mesonero.
Mesonera.
La Moza del Mesón.
El Tío Trabuco, *arriero.*
El Tío Paco, *aguador.*
El Capitán Preboste.
Un Sargento.
Un Ordenanza a caballo.
Soldados españoles, arrieros, lugareños y lugareñas.

Los trajes son los que se usaban a mediados del siglo XVIII.

JORNADA PRIMERA

La escena en Sevilla y sus alrededores

La escena representa la entrada del antiguo puente de barcas de Triana, el que estará practicable a la derecha. En primer término, al mismo lado, un aguaducho o barraca de tablas y lonas, con un letrero que diga: "Agua de Tomares": dentro habrá un mostrador rústico con cuatro grandes cántaros, macetas de flores, vasos, un anafre con una cafetera de hoja de lata y una bandeja con azucarillos. Delante del aguaducho habrá bancos de pino. Al fondo se descubrirá de lejos parte del arrabal de Triana, la huerta de los Remedios con sus altos cipreses, el río y varios barcos en él, con flámulas y gallardetes. A la izquierda se verá en lontananza la Alameda. Varios habitantes de Sevilla cruzarán en todas direcciones durante la escena. El cielo demostrará el ponerse el sol en una tarde de julio, y al descorrerse el telón aparecerán: EL TIO PACO detrás del mostrador en mangas de camisa; EL OFICIAL, bebiendo un vaso de agua, y de pie; PRECIOSILLA, a su lado templando una guitarra; EL MAJO y los DOS HABITANTES DE SEVILLA sentados en los bancos.

ESCENA PRIMERA

OFICIAL

Vamos, Preciosilla, cántanos la rondeña. Pronto, pronto: ya está bien templada.

PRECIOSILLA

Señorito, no sea su merced tan súpito. Déme antes esa mano, y le diré le buenaventura.

OFICIAL

Quita, que no quiero tus zalamerías. Aunque efectivamente tuvieran la habilidad de decirme lo que me ha de suceder, no quisiera oírtelo... Sí, casi siempre conviene el ignorarlo.

MAJO

(Levantándose.) Pues yo quiero que me diga la buenaventura esta prenda. He aquí mi mano.

PRECIOSILLA

Retire usted allá esa porquería... Jesús, ni verla quiero, no sea que se encele aquella niña de los ojos grandes.

MAJO

(Sentándose.) ¡Qué se ha de encelar de ti, pendón!

PRECIOSILLA

Vaya, saleroso, no se cargue usted de estera, convídeme a alguna cosita.

MAJO

Tío Paco, dele usted un vaso de agua a esta criatura, por mi cuenta.

PRECIOSILLA

¿Y con panal?

OFICIAL

Sí, y después que te refresques el garguero y que te endulces la boca, nos cantarás las corraleras. *(El aguador sirve un vaso de agua con panal a Preciosilla, y el Oficial se sienta junto al Majo.)*

HABITANTE PRIMERO

¡Hola! Aquí viene el señor canónigo.

ESCENA II

CANÓNIGO

Buenas tardes, caballeros.

HABITANTE SEGUNDO

Temíamos no tener la dicha de ver a su merced esta tarde, señor canónigo.

CANÓNIGO

(Sentándose y limpiándose el sudor.) ¿Qué persona de buen gusto, viviendo en Sevilla, puede dejar de venir todas las tardes de verano a beber la deliciosa agua de Tomares, que con tanta limpieza y pulcritud nos da el tío Paco, y a ver un ratito este puente de Triana, que es lo mejor del mundo?

HABITANTE PRIMERO

Como ya se está poniendo el sol...

CANÓNIGO

Tío Paco, un vasito de la fresca.

TÍO PACO

Está usía muy sudado; en descansando un poquito le daré el refrigerio.

MAJO

Dale a su señoría agua templada.

CANÓNIGO

No, que hace mucho calor.

Pues yo templada la he bebido, para tener el pecho suave, y poder entonar el rosario por el barrio de la Bornicería, que a mí me toca esta noche.

OFICIAL

Para suavizar el pecho mejor es un trago de aguardiente.

MAJO

El aguardiente es bueno para sosegarlo después de haber cantado la letanía.

OFICIAL

Yo lo tomo antes y después de mandar el ejercicio.

PRECIOSILLA

(Habrá estado punteando la guitarra y dirá al Majo:) Oiga usted, rumboso, ¿y cantará usted esta noche la letanía delante del balcón de aquella persona?...

CANÓNIGO

Las cosas santas se han de tratar santamente. Vamos. ¿Y qué tal los toros de ayer?

MAJO

El toro berrendo de Utrera salió un buen bicho, muy pegajoso... Demasiado.

HABITANTE PRIMERO

Como que se me figura que le tuvo usted asco.

MAJO

Compadre, alto allá, que soy muy duro de estómago... Aquí está mi capa *(enseña un desgarrón)* diciendo por esta boca que no anduvo muy lejos.

HABITANTE SEGUNDO

No fue la corrida tan buena como la anterior.

PRECIOSILLA

Como que ha faltado a ella don Álvaro el indiano, que a caballo y a pie es el mejor torero que tiene España.

MAJO

Es verdad que es todo un hombre, muy duro con el ganado y muy echado adelante.

PRECIOSILLA

Y muy buen mozo.

HABITANTE PRIMERO

¿Y por qué no se presentaría ayer en la plaza?

OFICIAL

Harto tenía que hacer con estarse llorando el mal fin de sus amores.

MAJO

Pues que, ¿lo ha plantado ya la hija del señor Marqués?...

OFICIAL

No: doña Leonor no lo ha plantado a él, pero el Marqués la ha trasplantado a ella...

¿Cómo?...

Amigo, el señor Marqués de Calatrava tiene mucho capote y sobrada vanidad para permitir que un advenedizo sea su yerno.

OFICIAL

¿Y qué más podía apetecer su señoría que el ver casada a su hija (que con todos sus pergaminos está muerta de hambre) con un hombre riquísimo, y cuyos modales están pregonando que es un caballero?

PRECIOSILLA

¡Si los señores de Sevilla son vanidad y pobreza todo en una pieza! Don Álvaro es digno de ser marido de una emperadora... ¡Qué gallardo!... ¡Qué formal y qué generoso!... Hace pocos días que le dije la buenaventura (y por cierto no es buena la que le espera si las rayas de las manos no mienten), y me dio una onza de oro como un sol de mediodía.

TÍO PACO

Cuantas veces viene aquí a beber, me pone sobre el mostrador una peseta columnaria.

MAJO

¡Y vaya un hombre valiente! Cuando en la Alameda Vieja le salieron aquella noche los siete hombres más duros que tiene Sevilla, metió mano y los acorraló a todos contra las tapias del picadero.

OFICIAL

Y en el desafío que tuvo con el capitán de artillería se portó como un caballero.

PRECIOSILLA

El Marqués de Calatrava es un vejete tan ruin, que por no aflojar la mosca, y por no gastar...

OFICIAL

Lo que debía hacer don Álvaro era darle una paliza que...

CANÓNIGO

Paso, paso, señor militar. Los padres tienen derecho de casar a sus hijas con quien les convenga.

OFICIAL

¿Y por qué no le ha de convenir don Álvaro? ¿Porque no ha nacido en Sevilla?... Fuera de Sevilla nacen también caballeros.

CANÓNIGO

Fuera de Sevilla nacen también caballeros, sí, señor; pero..., ¿lo es don Álvaro?... Sólo sabemos que ha venido de las Indias hace dos meses, y que ha traído dos negros y mucho dinero... Pero ¿quién es?...

HABITANTE PRIMERO

Se dicen tantas y tales cosas de él...

HABITANTE SEGUNDO

Es un ente muy misterioso.

TÍO PACO

La otra tarde estuvieron aquí unos señores hablando de lo mismo, y uno de ellos dijo que el tal don Álvaro había hecho sus riquezas siendo pirata...

MAJO

¡Jesucristo!

TÍO PACO

Y otro, que don Álvaro era hijo bastardo de un grande de España y de una reina mora...

OFICIAL

¡Qué disparate!

TÍO PACO

Y luego dijeron que no, que era..., no lo puedo declarar... Finca... o brinca..., una cosa así... Así como... una cosa muy grande allá de la otra banda.

OFICIAL

¿Inca?

TÍO PACO

Sí, señor, eso, Inca... Inca.

CANÓNIGO

Calle usted, tío Paco, no diga sandeces.

TÍO PACO

Yo nada digo ni me meto en honduras; para mí cada uno es hijo de sus obras, y en siendo buen cristiano y caritativo...

Y generoso y galán.

OFICIAL

El vejete roñoso del Marqués de Calatrava hace .
muy mal en negarle su hija.

CANÓNIGO

Señor militar, el señor Marqués hace muy bien.
El caso es sencillísimo. Don Álvaro llegó hace dos
meses; nadie sabe quién es. Ha pedido en casa-
miento a doña Leonor, y el Marqués, no juzgándolo
buen partido para su hija, se la ha negado. Parece
que la señorita estaba encaprichadilla, fascinada, y
el padre la ha llevado al campo, a la hacienda que
tiene en el Aljarafe, para distraerla. En todo lo cual
el señor Marqués se ha portado como persona prudente.

OFICIAL

Y don Álvaro, ¿qué hará?

CANÓNIGO

Para acertarlo debe buscar otra novia, porque si
insiste en sus descabelladas pretensiones, se expone
a que los hijos del señor Marqués vengan, el uno
de la Universidad y el otro del regimiento, a sacarle
de los cascos los amores de doña Leonor.

OFICIAL

Muy partidario soy de don Álvaro, aunque no le
he hablado en mi vida, y sentiría verlo empeñado en
un lance con don Carlos, el hijo mayorazgo del Marqués. Le he visto el mes pasado en Barcelona, y he
oído contar los dos últimos desafíos que ha tenido
ya: y se le puede ayunar.

CANÓNIGO

Es uno de los oficiales más valientes del regimiento de Guardias Españolas, donde no se chancea en esto de lances de honor.

HABITANTE PRIMERO

Pues el hijo segundo del señor Marqués, el don Alfonso, no le va en zaga. Mi primo, que acaba de llegar de Salamanca, me ha dicho que es el coco de la Universidad, más espadachín que estudiante, y que tiene metidos en un puño a los matones sopistas.

MAJO

¿Y desde cuándo está fuera de Sevilla la señorita doña Leonor?

OFICIAL

Hace cuatro días que se la llevó el padre a su hacienda, sacándola de aquí a las cinco de la mañana, después de haber estado toda la noche hecha la casa un infierno.

PRECIOSILLA

¡Pobre niña!... ¡Qué linda que es y qué salada!... Negra suerte le espera... Mi madre le dijo la buenaventura, recién nacida, y siempre que la nombra se le saltan las lágrimas... Pues el generoso don Álvaro...

HABITANTE PRIMERO

En nombrando al ruin de Roma, luego asoma... Allí viene don Álvaro.

ESCENA III

Empieza a anochecer y se va oscureciendo el teatro. DON ALVARO
sale embozado en una capa de seda, con un gran sombrero blanco,
botines y espuelas; cruza lentamente la escena mirando con dignidad
y melancolía a todos lados, y se va por el puente. Todos lo observan
en gran silencio.

ESCENA IV

MAJO

¿Adónde irá a estas horas?

CANÓNIGO

A tomar el fresco al altozano.

TÍO PACO

Dios vaya con él.

MILITAR

¿A qué va al Aljarafe?

TÍO PACO

Yo no sé; pero como estoy siempre aquí de día
y de noche, soy un vigilante centinela de cuanto pasa
por esta puente... Hace tres días que a media tarde
pasa por ella hacia allá un negro con dos caballos
de mano, y que don Álvaro pasa a estas horas; y
luego, a las cinco de la mañana, vuelve a pasar hacia acá, siempre a pie, y como media hora después
pasa el negro con los mismos caballos llenos de polvo y de sudor.

CANÓNIGO

¿Cómo?... ¿Qué me cuenta usted, tío Paco?...

TÍO PACO

Yo nada; digo lo que he visto; y esta tarde ya ha pasado el negro, y hoy no lleva dos caballos, sino tres.

HABITANTE PRIMERO

Lo que es atravesar el puente hacia allá a estas horas, he visto yo a don Álvaro tres tardes seguidas.

MAJO

Y yo he visto ayer a la salida de Triana al negro con los caballos.

HABITANTE SEGUNDO

Y anoche, viniendo yo de San Juan de Alfarache, me paré en medio del olivar a apretar las cinchas a mi caballo, y pasó a mi lado, sin verme, don Álvaro, como alma que llevan los demonios, y detrás iba el negro. Los conocí por la jaca torda, que no se puede despintar... ¡Cada relámpago que daban las herraduras!...

CANÓNIGO

(*Levantándose y aparte.*) ¡Hola! ¡Hola!... Preciso es dar aviso al señor Marqués.

MILITAR

Me alegraría de que la niña traspusiese una noche con su amante y dejara al vejete pelándose las barbas.

CANÓNIGO

Buenas noches, caballeros; me voy, que empieza a ser tarde. *(Aparte yéndose.)* Sería faltar a la amistad no avisar al instante al Marqués de que don Álvaro le ronda la hacienda. Tal vez podemos evitar alguna desgracia.

ESCENA V

El teatro representa una sala colgada de damasco, con retratos de familia, escudos de armas y los adornos que se estilaban en el siglo XVIII, pero todo deteriorado; y habrá dos balcones, uno cerrado y otro abierto y practicable, por el que se verá un cielo puro, iluminado por la luna, y algunas copas de árboles. Se pondrá en medio una mesa con tapete de damasco, y sobre ella habrá una guitarra, vasos chinescos con flores, y dos candeleros de plata con velas, únicas luces que alumbrarán la escena. Junto a la mesa habrá un sillón. Por la izquierda entrará el MARQUES DE CALATRAVA con una palmatoria en la mano, y detrás de él DOÑA LEONOR, y por la derecha entra la CRIADA.

MARQUÉS
(Abrazando y besando a su hija.)

Buenas noches, hija mía;
Hágate una santa el cielo.
Adiós, mi amor, mi consuelo,
Mi esperanza, mi alegría.
No dirás que no es galán
Tu padre. No descansara
Si hasta aquí no te alumbrara
Todas las noches... Están
abiertos estos balcones. *(Los cierra.)*
Y entra relente... Leonor...
¿Nada me dice tu amor?
¿Por qué tan triste te pones?

DOÑA LEONOR *(Abatida y turbada.)*

Buenas noches, padre mío.

MARQUÉS

Allá para Navidad
Iremos a la ciudad,
Cuando empiece el tiempo frío.
Y para entonces traeremos
Al estudiante, y también
Al capitán. Que les den
Permiso a los dos haremos
¿No tienes gran impaciencia
Por abrazarlos?

DOÑA LEONOR

¡Pues no!
¿Qué más puedo anhelar yo?

MARQUÉS

Los dos lograrán licencia.
Ambos tienen mano franca,
Condición que los abona,
Y Carlos, de Barcelona,
Y Alfonso, de Salamanca,
Ricos presentes te harán.
Escríbeles tú, tontilla,
Y algo que no haya en Sevilla
Pídeles, y lo traerán.

DOÑA LEONOR

Dejarlo será mejor
A su gusto delicado.

MARQUÉS

Lo tienen, y muy sobrado:
Como tú quieras, Leonor.

CURRA

Si como a usted, señorita,
Carta blanca se me diera,
A don Carlos le pidiera
Alguna bata bonita
De Francia. Y una cadena
Con su broche de diamante
Al señorito estudiante,
Que en Madrid la hallará buena.

MARQUÉS

Lo que gustes, hija mía.
Sabes que el ídolo eres
De tu padre... ¿No me quieres?
(La abraza y besa tiernamente.)

DOÑA LEONOR

¡Padre!... ¡Señor!... *(Afligida.)*

MARQUÉS

         La alegría
Vuelva a ti, prenda del aima;
Piensa que tu padre soy,
Y que de continuo estoy
Soñando tu bien... La calma
Recobra, niña... En verdad
Desde que estamos aquí
Estoy contento de ti
Veo la tranquilidad
Que con la campestre vida
Va renaciendo en tu pecho,
Y me tienes satisfecho;
Sí, lo estoy mucho, querida.
Ya se me ha olvidado todo;
Eres muchacha obediente,
Y yo seré diligente
En darte buen acomodo.

Sí, mi vida..., ¿quién mejor
Sabrá lo que te conviene,
Que un tierno padre, que tiene
Por ti el delirio mayor?

DOÑA LEONOR

(Echándose en brazos de su padre con gran des-
consuelo.)

¡Padre amado!... ¡Padre mío!

MARQUÉS

Basta, basta... ¿Qué te agita?
                (Con gran ternura.)
Yo te adoro, Leonorcita;
No llores... ¡Qué desvarío!

DOÑA LEONOR

¡Padre!... ¡Padre!

MARQUÉS

(Acariciándola y desasiéndose de sus brazos.)

                    Adiós, mi bien.
A dormir y no lloremos.
Tus cariñosos extremos
El cielo bendiga, amén.

(Vase el Marqués, y queda Leonor muy abatida y
llorosa sentala en el sillón.)

ESCENA VI

CURRA va detrás del MARQUES, cierra la puerta por donde aquél
se ha ido y vuelve cerca de LEONOR.

CURRA

¡Gracias a Dios!... Me temí
Que todito se enredase,
Y que señor se quedase
Hasta la mañana aquí.
¡Qué listo cerró el balcón!...
Que por el del palomar
Vamos las dos a volar,
Le dijo su corazón.
Abrirlo sea lo primero; *(Ábrelo.)*
Ahora lo segundo es
Cerrar las maletas. Pues
Salgan ya de su agujero.

*(Saca Curra unas maletas y ropa, y se pone a arre-
glarlo todo sin que en ello repare doña Leonor.)*

DOÑA LEONOR

¡Infeliz de mí!... ¡Dios mío!
¿Por qué un amoroso padre,
Que por mí tanto desvelo
Tiene, y cariño tan grande,
Se ha de oponer tenazmente
(¡Ay, el alma se me parte!...)
A que yo dichosa sea,
Y pueda feliz llamarme?...
¿Cómo, quien tanto me quiere
Puede tan cruel mostrarse?
Más dulce mi suerte fuera
Si aún me viviera mi madre.

¿Si viviera la señora?...
Usted está delirante.
Más vana que el señor era;
Señor al cabo es un ángel.
¡Pero ella!... Un genio tenía
Y un copete... Dios nos guarde.
Los señores de esta tierra
Son todos de un mismo talle.
Y si alguna señorita
Busca un novio que le cuadre,
Como no esté en pergaminos
Envuelto, levantan tales
Alaridos... ¿Mas qué importa
Cuando hay decisión bastante...?
Pero no perdamos tiempo;
Venga usted, venga a ayudarme,
Porque yo no puedo sola...

DOÑA LEONOR

¡Ay, Curra!... ¡Si penetrases
Cómo tengo el alma! Fuerza
Me falta hasta para alzarme
De esta silla... ¡Curra amiga!
Lo confieso, no lo extrañes;
No me resuelvo, imposible...
Es imposible. ¡Ah!... ¡Mi padre!
Sus palabras cariñosas,
Sus extremos, sus afanes,
Sus besos y sus abrazos,
Eran agudos puñales
Que el pecho me atravesaban.
Si se queda un solo instante
No hubiera más resistido...
Ya iba a sus pies a arrojarme,
Y confundida, aterrada,
Mi proyecto a revelarle:

Y a morir, ansiando sólo
Que su perdón me acordase.

CURRA

¡Pues hubiéramos quedado
Frescas, y echando un buen lance!
Mañana vería usted
Revolcándose en su sangre,
Con la tapa de los sesos
Levantada, al arrogante,
Al enamorado, al noble
Don Álvaro. O arrastrarle
Como un malhechor, atado,
Por entre estos olivares
A la cárcel de Sevilla;
Y allá para Navidades
Acaso, acaso en la horca.

DOÑA LEONOR

¡Ay, Curra!... El alma me partes.

CURRA

Y todo esto, señorita,
Porque la desgracia grande
Tuvo el infeliz de veros,
Y necio de enamorarse
De quien no le corresponde,
Ni resolución bastante
Tiene para...

DOÑA LEONOR

       Basta, Curra;
No mi pecho despedaces.
¿Yo a su amor no correspondo?
Que le correspondo sabes...
Por él mi casa y familia,
Mis hermanos y mi padre
Voy a abandonar, y sola...

47

Sola no, que yo soy alguien,
Y nunca en ninguna parte
La dejaremos... ¡Jesús!

DOÑA LEONOR

¿Y mañana?

CURRA

Día grande.
Usted la adorable esposa
Será del más adorable,
Rico y lindo caballero
Que puede en el mundo hallarse,
Y yo la mujer de Antonio:
Y a ver tierras muy distantes
Iremos ambas... ¡Qué bueno!

DOÑA LEONOR

¿Y mi anciano y tierno padre?

CURRA

¿Quién?... ¿Señor?... Rabiará un poco,
Pateará, contará el lance
Al Capitán general
Con sus pelos y señales;
Fastidiará al asistente
Y también a sus compadres,
El canónigo, el jurado
Y los vejetes maestrantes;
Saldrán mil requisitorias
para buscarnos en balde,
Cuando nosotras estemos
Ya seguritas en Flandes.
Desde allí escribirá usted,
Y comenzará a templarse

Señor, y a los nueve meses,
Cuando sepa hay un infante
Que tiene sus mismos ojos,
Empezará a consolarse.
Y nosotras chapurrando,
Que no nos entienda nadie,
Volveremos de allí a poco,
A que con festejos grandes
Nos reciban, y todito
Será banquetes y bailes.

DOÑA LEONOR

¿Y mis hermanos del alma?

CURRA

¡Toma!, ¡toma!... Cuando agarren
del generoso cuñado,
Uno con que hacer alarde
De vistosos uniformes,
Y con que rendir beldades;
Y el otro para libracos,
Merendonas y truhanes,
Reventarán de alegría.

DOÑA LEONOR

No corre en tus venas sangre.
¡Jesús, y qué cosas tienes!

CURRA

Porque digo las verdades.

DOÑA LEONOR

¡Ay, desdichada de mí!

Desdicha por cierto grande,
El ser adorado dueño
Del mejor de los galanes.
Pero vamos, señorita,
Ayúdeme usted, que es tarde.

DOÑA LEONOR

Sí, tarde es, y aún no parece
Don Álvaro... ¡Oh, si faltase
Esta noche!... ¡Ojalá!... ¡Cielos!...
Que jamás estos umbrales
Hubiera pisado, fuera
Mejor... No tengo bastante
Resolución... Lo confieso.
Es tan duro el alejarse
Así de su casa... ¡Ay triste!
(Mira el reloj y sigue en inquietud.)
Las doce han dado... ¡Qué tarde
Es ya, Curra! No, no viene.
¿Habrá en esos olivares
Tenido algún mal encuentro?
Hay siempre en el Aljarafe
Tan mala gente... ¿Y Antonio
Estará alerta?

CURRA

Indudable
Es que está de centinela...

DOÑA LEONOR

¡Curra!... ¿Qué suena?... ¿Escuchaste?
(Con gran sobresalto)

CURRA

Pisadas son de caballos.

50

DOÑA LEONOR

¡Ay! él es... *(Corre al balcón.)*

CURRA

Si que faltase
Era imposible...

DOÑA LEONOR

Dios mío! *(Muy agitada.)*

CURRA

Pecho al agua, y adelante.

ESCENA VII

DON ALVARO en cuerpo, con una jaquetilla de mangas perdidas
sobre una rica chupa de majo, redecilla, calzón de ante, etc., entra
por el balcón y se echa en brazos de LEONOR.

DON ÁLVARO
(Con gran vehemencia.)

¡Ángel consolador del alma mía!...
¿Van ya los santos cielos
A dar corona eterna a mis desvelos?
Me ahoga la alegría.
¿Estamos abrazados
Para no vernos nunca separados?...
Antes, antes la muerte,
Que de ti separarme y que perderte.

DOÑA LEONOR

¡Don Álvaro! *(Muy agitada.)*

DON ÁLVARO

Mi bien, mi Dios, mi todo.
¿Qué te agita y te turba de tal modo?
¿Te turba el corazón ver que tu amante
Se encuentra en este instante
Más ufano que el sol?... ¡Prenda adorada!

DOÑA LEONOR

Es ya tan tarde...

DON ÁLVARO

¿Estabas enojada
Porque tardé en venir? De mi retardo
No soy culpado, no, dulce señora;
Hace más de una hora
Que despechado aguardo
Por estos rededores
La ocasión de llegar, y ya temía
Que de mi adversa estrella los rigores
Hoy deshicieran la esperanza mía.
Mas no, mi bien, mi gloria, mi consuelo;
Protege nuestro amor el santo cielo.
Y una carrera eterna de ventura,
Próvido a nuestras plantas asegura.
El tiempo no perdamos.
¿Está ya todo listo? Vamos, vamos.

CURRA

Sí: bajo del balcón, Antonio, el guarda,
Las maletas espera;
Las echaré al momento. *(Va hacia el balcón.)*

DOÑA LEONOR *(Resuelta.)*

Curra, aguarda,
Detente... ¡Ay Dios! ¿No fuera,
Don Álvaro, mejor?...

DON ÁLVARO

¿Qué, encanto mío?...
¿Por qué tiempo perder? La jaca torda,
La que, cual dices tú, los campos borda,
La que tanto te agrada
Por su obediencia y brío,
Para ti está, mi dueño, enjaezada.
Para Curra el overo,
Para mí el alazán gallardo y fiero...
¡Oh, loco estoy de amor y de alegría!
En San Juan de Alfarache, preparado
Todo, con gran secreto, lo he dejado.
El sacerdote en el altar espera;
Dios nos bendecirá desde su esfera;
Y cuando el nuevo sol en el Oriente,
Protector de mi estirpe soberana,
Numen eterno en la región indiana,
La regia pompa de su trono ostente,
Monarca de la luz, padre del día,
Yo tu esposo seré, tú esposa mía.

DOÑA LEONOR

Es tan tarde... ¡Don Álvaro!

DON ÁLVARO *(A Curra.)*

Muchacha,
¿Qué te detiene ya? Corre, despacha;
Por el balcón esas maletas, luego...

DOÑA LEONOR

¡Curra, Curra, detente! *(Fuera de sí.)*
¡Don Álvaro!

DON ÁLVARO

¡¡Leonor!!

DOÑA LEONOR

           ¡Dejadlo os ruego
Para mañana!

DON ÁLVARO

¿Qué?

DOÑA LEONOR

Más fácilmente...

DON ÁLVARO
(Demudado y confuso)

¿Qué es esto, qué, Leonor? ¿Te falta ahora
Resolución?... ¡Ay, yo, desventurado!

DOÑA LEONOR

¡Don Álvaro! ¡Don Álvaro!

DON ÁLVARO

              ¡Señora!

DOÑA LEONOR

¡Ay! Me partís el alma...

DON ÁLVARO

             Destrozado
Tengo yo el corazón... ¿Dónde está, dónde,
Vuestro amor, vuestro firme juramento?
Mal con vuestra palabra corresponde
Tanta irresolución en tal momento.
Tan súbita mudanza...
No os conozco, Leonor. ¿Llevóse el viento
De mi delirio toda la esperanza?
Sí, he cegado en el punto

En que alboraba el más risueño día.
Me sacarán difunto
De aquí, cuando inmortal salir creía.
Hechicera engañosa,
¿La perspectiva hermosa
Que falaz me ofreciste así deshaces?
¡Pérfida! ¿Te complaces
En levantarme al trono del Eterno
Para después hundirme en el infierno?...
¡Sólo me resta ya!...

DOÑA LEONOR

(Echándose en sus brazos)
                    No, no; te adoro.
¡Don Álvaro!... ¡Mi bien!... Vamos, sí,
                                            [vamos.

DON ÁLVARO

¡Oh, mi Leonor!...

CURRA

El tiempo no perdamos.

DON ÁLVARO

¡Mi encanto! ¡Mi tesoro!

(Doña Leonor, muy abatida, se apoya en el hombro de don Álvaro, con muestras de desmayarse.)

Mas, ¿qué es esto? ¡Ay de mí! ¡Tu mano
Me parece la mano de una muerta... [yerta!
Frío está tu semblante,
Como la fosa de un sepulcro helado...

DOÑA LEONOR

¡Don Álvaro!

DON ÁLVARO

¡Leonor! *(Pausa.)* Fuerza bastante
Hay para todo en mí... ¡Desventurado!
La conmoción conozco que te agita,
Inocente Leonor. Dios no permita
Que por debilidad en tal momento
Sigas mis pasos y mi esposa seas.
Renuncio a tu palabra y juramento:
Hechas de muerte las nupciales teas
Fueran para los dos... ¡Si no me amas,
Como yo te amo a ti... Si arrepentida...!

DOÑA LEONOR

Mi dulce esposo, con el alma y vida
Es tuya tu Leonor; mi dicha fundo
En seguirte hasta el fin del ancho mundo.
Vamos; resuelta estoy, fijé mi suerte;
Separarnos podrá sólo la muerte.

*(Va hacia el balcón, cuando de repente se oye ruido,
ladridos, y abrir y cerrar puertas.)*

DOÑA LEONOR

¡Dios mío! ¿Qué ruido es éste? ¡¡Don Álvaro!!

CURRA

Parece que han abierto las puertas del patio... y
la de la escalera...

DOÑA LEONOR

¿Se habrá puesto malo mi padre?...

CURRA

¡Qué! No, señora; el ruido viene de otra parte.

DOÑA LEONOR

¿Habrá llegado alguno de mis hermanos?

DON ÁLVARO

Vamos, vamos, Leonor, no perdamos ni un instante. *(Vuelve hacia el balcón, y de repente se ve por él el resplandor de hachones de viento, y se oye galopar caballos.)*

DOÑA LEONOR

¡Somos perdidos!... Estamos descubiertos... Imposible es la fuga.

DON ÁLVARO

Serenidad es necesario en todo caso.

CURRA

¡La Virgen del Rosario nos valga y las ánimas benditas!... ¿Qué será de mi pobre Antonio? *(Se asoma al balcón y grita.)* ¡Antonio! ¡Antonio!

DON ÁLVARO

¡Calla maldita!, no llames la atención hacia este lado; entorna el balcón. *(Se acerca el ruido de puertas y pisadas.)*

DOÑA LEONOR

¡Ay desdichada de mí! Don Álvaro, escóndete... aquí... en mi alcoba...

DON ÁLVARO

(Resuelto.) No, yo no me escondo... No te abandono en tal conflicto. *(Prepara una pistola.)* Defenderte y salvarte es mi obligación.

DOÑA LEONOR

(Asustadísima.) ¿Qué intentas? ¡Ay! Retira esa pistola, que me hiela la sangre... ¡Por Dios, suéltala!... ¿La dispararás contra mi buen padre?... ¿Contra alguno de mis hermanos?... ¿Para matar a alguno de los fieles y antiguos criados de esta casa?

DON ÁLVARO

(Profundamente confundido.) No, no, amor mío... La emplearé en dar fin a mi desventurada vida.

DOÑA LEONOR

¡Qué horror! ¡Don Álvaro!

ESCENA VIII

Abrese la puerta con estrépito, después de varios golpes en ella, y entra el **MARQUES**, en bata y gorro, con un espadín desnudo en la mano, y detrás dos criados mayores con luces.

MARQUÉS

(Furioso.) ¡Vil seductor!... ¡Hija infame!

DOÑA LEONOR

(Arrojándose a los pies de su padre.) ¡¡Padre!! ¡¡Padre!!

MARQUÉS

No soy tu padre... Aparta... Y tú, vil advenedizo...

Vuestra hija es inocente... Yo soy el culpado...
Atravesadme el pecho. *(Hinca una rodilla.)*

MARQUÉS

Tu actitud suplicante manifiesta lo bajo de tu
condición...

DON ÁLVARO

(Levantándose.) ¡Señor Marqués!... ¡Señor Marqués!...

MARQUÉS

(A su hija.) Quita, mujer inicua. *(A Curra, que le
sujeta el brazo.)* ¿Y tú, infeliz... osas tocar a tu
señor? *(A los criados.)* Ea, echaos sobre ese infame,
sujetadle, atadle...

DON ÁLVARO

(Con dignidad.) Desgraciado del que me pierda
el respeto. *(Saca una pistola y la monta.)*

DOÑA LEONOR

(Corriendo hacia don Álvaro.) ¡Don Álvaro!...
¿Qué vais a hacer?

MARQUÉS

Echaos sobre él al punto.

DON ÁLVARO

¡Ay de vuestros criados si se mueven! Vos sólo
tenéis derecho para atravesarme el corazón.

MARQUÉS

¿Tú morir a manos de un caballero? No; mori-
rás a las del verdugo.

¡Señor Marqués de Calatrava! Mas ¡ah! no: tenéis derecho para todo... Vuestra hija es inocente... Tan pura como el aliento de los ángeles que rodean el trono del Altísimo. La sospecha a que pueda dar origen mi presencia aquí a tales horas concluya con mi muerte; salga envolviendo mi cadáver como si fuera mortaja... Sí, debo morir..., pero a vuestras manos. *(Pone una rodilla en tierra.)* Espero resignado el golpe, no lo resistiré; ya me tenéis desarmado. *(Tira la pistola, que al dar en tierra se dispara y hiere al Marqués, que cae moribundo en los brazos de su hija y de los criados, dando un alarido.)*

MARQUÉS

Muerto soy... ¡Ay de mí!...

DON ÁLVARO

¡Dios mío! ¡Arma funesta! ¡Noche terrible!

DOÑA LEONOR

¡Padre, padre!

MARQUÉS

Aparta; sacadme de aquí... donde muera sin que esta vil me contamine con tal nombre...

DOÑA LEONOR

¡Padre!...

MARQUÉS

Yo te maldigo.
(Cae Leonor en brazos de don Álvaro, que la arrastra hacia el balcón.)

JORNADA SEGUNDA

La escena es en la villa de Hornachuelos y sus alrededores.

ESCENA PRIMERA

Es de noche, y el teatro representa la cocina de un mesón de la villa de Hornachuelos. Al frente estará la chimenea y el hogar. A la izquierda la puerta de entrada; a la derecha dos puertas practicables. A un lado una mesa larga de pino, rodeada de asientos toscos, y alumbrado todo por un gran candilón. El MESONERO y el ALCALDE aparecerán sentados gravemente al fuego. La MESONERA, de rodillas guisando. Junto a la mesa, el ESTUDIANTE cantando y tocando la guitarra. El ARRIERO que habla, cribando cebada en el fondo del teatro. El TIO TRABUCO, tendido en primer término sobre sus jalmas. Los DOS LUGAREÑOS, las DOS LUGAREÑAS, la MOZA y uno de los ARRIEROS, que no habla, estarán bailando seguidillas. El otro ARRIERO, que no habla, estará sentado junto al ESTUDIANTE y jaleando a las que bailan. Encima de la mesa habrá una bota de vino, unos vasos y un frasco de aguardiente.

ESTUDIANTE

(Cantando en voz recia al son de la guitarra, y las tres parejas bailando con gran algazara.

Poned en estudiantes
vuestro cariño
que son, como discretos,
agradecidos.
    Viva Hornachuelos,
vivan de sus muchachas
los ojos negros.

Dejad a los soldados,
que es gente mala,
y así que dan el golpe
vuelven la espalda
Viva Hornachuelos,
vivan de sus muchachas
los ojos negros.

MESONERA

(Poniendo una sartén sobre la mesa.) Vamos, vamos, que se enfría... *(A la criada.)* Pepa, al avío.

ARRIERO
(El del cribo.)

Otra coplita.

ESTUDIANTE

(Dejando la guitarra.) Abrenuncio. Antes de todo, la cena.

MESONERA

Y si después quiere la gente seguir bailando y alborotando, váyanse al corral o a la calle, que hay una luna clara como el día. Y dejen en silencio el mesón, que si unos quieren jaleo, otros quieren dormir. Pepa, Pepa..., ¿no digo que basta ya de zangoloteo?

TÍO TRABUCO

(Acostado en sus arreos.) Tía Colasa, usted está en lo cierto. Yo por mí, quiero dormir.

MESONERO

Sí, ya basta de ruido. Vamos a cenar. Señor Alcalde, eche su merced la bendición y venga a tomar una presita.

ALCALDE

Se agradece, señor Monipodio.

MESONERA

Pero acérquese su merced.

ALCALDE

Que eche la bendición el señor licenciado.

ESTUDIANTE

Allá voy, y no seré largo, que huele el bacalao a gloria. *In nomine Patris et Filii et Spiritus Sancti.*

TODOS

Amén. *(Se van acomodando alrededor de la mesa todos menos Trabuco.)*

MESONERA

Tal vez el tomate no estará bastante cocido, y el arroz estará algo duro... Pero con tanta babilonia no se puede.

ARRIERO

Está diciendo comedme, comedme.

ESTUDIANTE

(Comiendo con ansia.) Está exquisito... especial; parece ambrosía...

MESONERA

Alto allá, señor bachiller; la tía Ambrosia no me gana a mí a guisar, ni sirve para descalzarme el zapato; no, señor.

ARRIERO

La tía Ambrosia es más puerca que una telaraña.

MESONERO

La tía Ambrosia es un guiñapo, es un paño de aporrear moscas; se revuelven las tripas de entrar en su mesón, y compararla con mi Colasa no es cosa regular.

ESTUDIANTE

Ya sé yo que la señora Colasa es pulcra, y no lo dije por tanto.

ALCALDE

En toda la comarca de Hornachuelos no hay una persona más limpia que la señora Colasa, ni un mesón como el del señor Monipodio.

MESONERA

Como que cuantas comidas de boda se hacen en la villa pasan por estas manos que ha de comer la tierra. Y de las bodas de señores, no le parezca a usted, señor bachiller... Cuando se casó el escribano con la hija del regidor...

ESTUDIANTE

Con que se le puede decir a la señora, *tu das mihi epulis accumbere divum.*

MESONERA

Yo no sé latín, pero sé guisar... Señor Alcalde, moje siquiera una sopa...

ALCALDE

Tomaré, por no despreciar, una cucharadita de gazpacho, si es que lo hay.

MESONERO

¿Cómo que si lo hay?

MESONERA

¿Pues había de faltar donde yo estoy?... ¡Pepa!
(A la moza.) Anda a traerlo. Está sobre el brocal
del pozo, desde media tarde, tomando el fresco. *(Váse la moza.)*

ESTUDIANTE

(Al arriero, que está acostado.) ¡Tío Trabuco, hola, tío Trabuco! ¿No viene usted a hacer la razón?

TÍO TRABUCO

No ceno.

ESTUDIANTE

¿Ayuna usted?

TÍO TRABUCO

Sí, señor, que es viernes.

MESONERO

Pero un traguito...

TÍO TRABUCO

Venga. *(Le alarga el mesonero la bota, y bebe un
trago el tío Trabuco.)* ¡Jú! Esto es zupia. Alárgueme usted, tío Monipodio, el frasco del aguardiente
para enjuagarme la boca. *(Bebe y se acurruca.)*

MOZA

(Entrando con una fuente de gazpacho.) Aquí está la gracia de Dios.

TODOS

Venga, venga.

ESTUDIANTE

Parece, señor Alcalde, que esta noche hay mucha gente forastera en Hornachuelos.

ARRIERO

Las tres posadas están llenas.

ALCALDE

Como es el jubileo de la Porciúncula, y el convento de San Francisco de los Ángeles, que está aquí en el desierto, a media legua corta, es tan famoso... viene mucha gente a confesarse con el padre guardián, que es un siervo de Dios.

MESONERA

Es un santo.

MESONERO

(Toma la bota y se pone en pie.) Jesús; por la buena compañía, y que Dios nos dé salud y pesetas en esta vida, y la gloria en la eterna. *(Bebe.)*

TODOS

Amén. *(Pasa la bota de mano en mano.)*

ESTUDIANTE

(Después de beber.) Tío Trabuco, tío Trabuco, ¿está usted con los angelitos?

TÍO TRABUCO

Con las malditas pulgas y con sus voces de usted, ¿quién puede estar sino con los demonios?

ESTUDIANTE

Queríamos saber, Tío Trabuco, si esa personilla de alfeñique, que ha venido con usted y que se ha escondido de nosotros, viene a ganar el jubileo.

TÍO TRABUCO

Yo no sé nunca a lo que van ni vienen los que viajan conmigo.

ESTUDIANTE

Pero..., ¿es gallo, o gallina?

TÍO TRABUCO

Yo de los viajeros no miro más que la moneda, que ni es hembra ni es macho.

ESTUDIANTE

Sí, es género epiceno, como si dijéramos hermafrodita... Pero veo que es usted muy taciturno, tío Trabuco.

TÍO TRABUCO

Nunca gasto saliva en lo que no me importa; y buenas noches, que se me va quedando la lengua dormida, y quiero guardarle el sueño, sonsoniche.

ESTUDIANTE

Pues, señor, con el tío Trabuco no hay emboque. Dígame usted, nostrama *(A la mesonera)*, ¿por qué no ha venido a cenar el tal caballerito?

MESONERA

Yo no sé.

ESTUDIANTE

Pero, vamos, ¿es hembra o varón?

MESONERA

Que sea lo que sea, lo cierto es que le vi el rostro,
por más que se lo recataba, cuando se apeó del mulo, y que lo tiene como un sol, y eso que traía los
ojos, de llorar y de polvo, que daba compasión.

ESTUDIANTE

¡Oiga!

MESONERA

Sí, señor; y en cuanto se metió en ese cuarto, vol-
viéndome siempre la espalda, me preguntó cuánto
había de aquí al convento de los Ángeles, y yo se
lo enseñé desde la ventana, que, como está tan cerca,
se ve clarito, y...

ESTUDIANTE

¡Hola, con que es pecador que viene al jubileo!

MESONERA

Yo no sé; luego, se acostó, digo, se echó en la
cama, vestido, y bebió antes un vaso de agua con
unas gotas de vinagre.

ESTUDIANTE

Ya, para refrescar el cuerpo.

MESONERA

Y me dijo que no quería luz, ni cena, ni nada, y
se quedó como rezando el rosario entre dientes. A
mí me parece que es persona muy...

MESONERO

Charla, charla... ¿Quién diablos te mete en hablar de los huéspedes?... ¡Maldita sea tu lengua!

MESONERA

Como el señor licenciado quería saber...

ESTUDIANTE

Sí, señora Colasa; dígame usted...

MESONERO

(A su mujer.) ¡Chitón!

ESTUDIANTE

Pues, señor, volvamos al tío Trabuco. ¡Tío Trabuco! *(Se acerca a él y le despierta.)*

TÍO TRABUCO

¡Malo!... ¿Me quiere usted dejar en paz?

ESTUDIANTE

Vamos, dígame usted, esa persona, ¿Cómo viene en el mulo, a mujeriegas o a horcajadas?

TÍO TRABUCO

¡Ay, qué sangre!... De cabeza.

ESTUDIANTE

Y dígame usted, ¿de dónde salió usted esta mañana, de Posadas o de Palma?

TÍO TRABUCO

Yo no sé sino que tarde o temprano voy al cielo.

ESTUDIANTE

¿Por qué?

TÍO TRABUCO

Porque ya me tiene usted en el purgatorio.

ESTUDIANTE

(Se ríe.) ¡Ah, ah, ah!... ¿Y va usted a Extremadura?

TÍO TRABUCO

(Se levanta, recoge sus jalmas y se va con ellas muy enfadado.) No, señor, a la caballeriza, huyendo de usted, y a dormir con mis mulos, que no saben latín ni son bachilleres.

ESTUDIANTE

(Se ríe.) ¡Ah, ah, ah! Se atufó... ¡Hola, Pepa, salerosa! ¿Y no has visto tú al escondido!

MOZA

Por la espalda.

ESTUDIANTE

¿Y en qué cuarto está?

MOZA

(Señala la primera puerta de la derecha.) En ese...

ESTUDIANTE

Pues ya que es lampiño, vamos a pintarle unos bigotes con tizne... Y cuando se despierte por la mañana reiremos un poco. *(Se tizna los dedos y va hacia el cuarto.)*

ALGUNOS

Sí..., sí.

MESONERO

No, no.

ALCALDE

(Con gravedad.) Señor estudiante, no lo permitiré yo, pues debo proteger a los forasteros que llegan a esta villa, y administrarles justicia como a los naturales de ella.

ESTUDIANTE

No le dije por tanto, señor Alcalde...

ALCALDE

Yo sí. Y no fuera malo saber quién es el señor licenciado, de dónde viene y a dónde va, pues parece algo alegre de cascos.

ESTUDIANTE

Si la justicia me lo pregunta de burlas o de veras, no hay inconveniente en decirlo, que aquí se juega limpio. Soy el bachiller Pereda, graduado por Salamanca, *in utroque,* y hace ocho años que curso sus escuelas, aunque pobre, con honra, y no sin fama. Salí de allí hace más de un año, acompañando a mi amigo y protector el señor licenciado Vargas, y fuimos a Sevilla, a vengar la muerte de su padre el

71

marqués de Calatrava, y a indagar el paradero de su hermana, que se escapó con el matador. Pasamos allí algunos meses, donde también estuvo su hermano mayor, el actual marqués, que es oficial de Guardias. Y como no lograron su propósito, se separaron jurando venganza. Y el licenciado y yo nos vinimos a Córdoba, donde dijeron que estaba la hermana. Pero no la hallamos tampoco, y allí supimos que había muerto en la refriega que armaron los criados del marqués, la noche de su muerte, con los del robador y asesino, y que éste había vuelto a América. Con lo que marchamos a Cádiz, donde mi protector, el licenciado Vargas, se ha embarcado para buscar allá al enemigo de su familia. Y yo me vuelvo a mi Universidad a desquitar el tiempo perdido y a continuar mis estudios; con los que, y la ayuda de Dios, puede ser que me vea algún día gobernador del Consejo o arzobispo de Sevilla.

ALCALDE

Humos tiene el señor bachiller, y ya basta; pues se ve en su porte y buena explicación que es hombre de bien y que dice verdad.

MESONERA

Dígame usted, señor estudiante; ¿y qué, mataron a ese marqués?

ESTUDIANTE

Sí.

MESONERA

¿Y lo mató el amante de su hija y luego la robó?... ¡Ay! Cuéntenos su merced esa historia, que será muy divertida; cuéntela su merced...

MESONERO

¿Quién te mete a ti en saber vidas ajenas? ¡Maldita sea tu curiosidad! Pues que ya hemos cenado, demos gracias a Dios y a recogerse. *(Se ponen todos en pie, y se quitan el sombrero como que rezan.)* Eh, buenas noches; cada mochuelo a su olivo.

ALCALDE

Buenas noches, y que haya juicio y silencio.

ESTUDIANTE

Pues me voy a mi cuarto. *(Se va a meter en el del viajero incógnito.)*

MESONERO

¡Hola! No es ése; el de más allá.

ESTUDIANTE

Me equivoqué.

(Vanse el Alcalde y los lugareños; entra el Estudiante en su cuarto; la Moza, el Arriero y la Mesonera retiran la mesa y los bancos, dejando la escena desembarazada. El Mesonero se acerca al hogar, y queda todo en silencio y solos el Mesonero y Mesonera.

ESCENA II

MESONERO

Colasa, para medrar
En nuestro oficio, es forzoso
Que haya en la casa reposo
Y a ninguno incomodar.
Nunca meterse a oliscar

Quiénes los huéspedes son;
No gastar conversación
Con cuantos llegan aquí;
Servir bien, decir *no* o *sí,*
Cobrar la mosca, y chitón.

MESONERA

No, por mí no lo dirás;
Bien sabes que callar sé.
Al bachiller pregunté...

MESONERO

Pues eso estuvo de más.

MESONERA

También ahora extrañarás
Que entre en ese cuarto a ver
Si el huésped ha menester
Alguna cosa, marido;
Pues es, sí, lo he conocido,
Una afligida mujer.

(Toma un candil y entra la Mesonera muy recata-
damente en el cuarto.)

MESONERO

Entra, que entrar es razón,
Aunque temo, a la verdad,
Que vas por curiosidad,
Más bien que por compasión.

MESONERA
(Saliendo muy asustada.)
¡Ay, Dios mío! Vengo muerta;
Desapareció la dama;
Nadie he encontrado en la cama
Y está la ventana abierta.

MESONERO

¿Cómo?, ¿cómo?... ¡Ya lo sé!...
La ventana al campo da,
Y como tan baja está,
Sin gran trabajo se fue.

(Andando hacia el cuarto donde entró la mujer, que-
dándose él a la puerta.)

Quiera Dios no haya cargado
Con la colcha nueva.

MESONERA

                    Nada,
Todo está aquí... ¡Desdichada!
Hasta dinero ha dejado...
Sí, sobre la mesa un duro.

MESONERO

Vaya entonces en buena hora.

MESONERA

            (Saliendo a la escena.)
No hay duda: es una señora
Que se encuentra en grande apuro.

MESONERO

Pues con bien la lleve Dios,
Y vámonos a acostar,
Y mañana no charlar,
Que esto quede entre los dos.
Echa un cuarto en el cepillo
De las ánimas, mujer;
Y el duro véngame a ver;
Échamelo en el bolsillo.

ESCENA III

El teatro representa una plataforma en la ladera de una áspera
montaña. A la izquierda, precipicios y derrumbaderos. Al frente,
un profundo valle, atravesado por un riachuelo, en cuya margen
se ve, a lo lejos, la villa de Hornachuelos, terminando el fondo
en altas montañas. A la derecha, la fachada del convento de Los
Ángeles, de pobre y humilde arquitectura. La gran puerta de la
iglesia, cerrada, pero practicable, y sobre ella una claraboya de
medio punto, por donde se verá el resplandor de las luces interiores;
más hacia el proscenio, la puerta de la portería, también practicable
y cerrada; en medio de una mirilla o gatera, que se abre y se cierra,
y al lado el cordón de una campanilla. En medio de la escena habrá
una gran cruz de piedra tosca y corroída por el tiempo, puesta sobre
cuatro gradas que puedan servir de asiento. Estará todo iluminado
por una luna clarísima. Se oirá dentro de la iglesia el órgano, y
cantar maitines al coro de frailes, y saldrá como subiendo por la
izquierda DOÑA LEONOR, muy fatigada y vestida de hombre con
un gabán de mangas, sombrero gacho y botines.

DOÑA LEONOR

Sí..., ya llegué... Dios mío,
Gracias os doy rendida.

    (Arrodíllase al ver el convento.)

En ti, Virgen Santísima, confío;
Sed el amparo de mi amarga vida.
Este refugio es sólo
El que puedo tener de polo a polo.

    (Álzase.)

No me queda en la tierra
Más asilo y resguardo
Que los áridos riscos de esta sierra:
En ella estoy... ¿Aún tiemblo y me acobar-
                [do?...

(Mira hacia el sitio por donde ha venido.)

¡Ah! Nadie me ha seguido.
Ni mi fuga veloz notada ha sido.
No me engañé; la horrenda historia mía
Escuché referir en la posada...
Y ¿quién, cielos, sería
Aquel que la contó? ¡Desaventurada!

Amigo dijo ser de mis hermanos...
¡Oh cielos soberanos!...
¿Voy a ser descubierta?
Estoy de miedo y de cansancio muerta.

(Se sienta mirando en rededor y luego al cielo.)

¡Qué asperezas! ¡Qué hermosa y clara luna!
¡La misma que hace un año
Vio la mudanza atroz de mi fortuna,
Y abrirse los infiernos en mi daño.

(Pausa larga.)

No fue ilusión ...Aquel que de mí hablaba
Dijo que navegaba
Don Álvaro, buscando nuevamente
Los apartados climas de Occidente.
¡Oh Dios! ¿Y será cierto?
Con bien arribe de su patria al puerto.

(Pausa.)

¿Y no murió la noche desastrada
En que yo, yo... manchada
Con la sangre infeliz del padre mío,
Le seguí..., le perdí? ¿Y huye el impío?
¿Y huye el ingrato?... ¿Y huye y me aban-
[dona?

(Cae de rodillas.)

¡Oh Madre santa de piedad! Perdona,
Perdona, le olvidé. Sí, es verdadera,
Lo es mi resolución. Dios de bondades,
Con penitencia austera,
Lejos del mundo en estas soledades
El furor expiaré de mis pasiones.
¡Piedad, piedad, Señor, no me abandones!

(Queda en silencio y como en profunda meditación, recostada en las gradas de la cruz, y después de una larga pausa continúa):

Los sublimes acentos de ese coro
De bienaventurados

Y los ecos pausados
Del órgano sonoro
Que cual de incienso vaporosa nube
Al trono santo del Eterno sube,
Difunden en mi alma
Bálsamo dulce de consuelo y calma.
¿Qué me detengo, pues?... Corro al tranqui-
Corro al sagrado asilo...   [lo...

(Va hacia el convento y se detiene.)

Mas, ¿cómo a tales horas?... ¡Ah!... no
Ya dilatarlo más; hiélame el miedo   [puedo
De encontrame aquí sola. En esa aldea
Hay quien mi historia sabe.
En lo posible cabe
Que descubierta con la aurora sea.
Este santo prelado
De mi resolución está informado,
Y de mis infortunios... Nada temo
Mi confesor de Córdoba hace días
Que las desgracias mías
Le escribió largamente...
Sé de su caridad el noble extremo,
Me acogerá indulgente.
¿Qué dudo?, pues, qué dudo?...
¡Sed, oh Virgen Santísima, mi escudo!
(Llega a la puerta y toca la campanilla.)

ESCENA IV

Se abre la mirilla que está en la puerta, y por ella sale el resplandor de un farol que da de pronto en el rostro de **DOÑA LEONOR**, y ésta se retira como asustada. El **HERMANO MELITON** habla toda esta escena dentro.

HERMANO MELITÓN

¿Quién es?

DOÑA LEONOR

Una persona a quien interesa mucho, mucho, ver al instante al reverendo padre guardián.

HERMANO MELITÓN

¡Buena hora de ver al padre guardián!... La noche está clara y no será ningún caminante perdido. Si viene a ganar el jubileo, a las cinco se abrirá la iglesia; vaya con Dios; Él le ayude.

DOÑA LEONOR

Hermano, llamad al padre guardián. Por caridad.

HERMANO MELITÓN

¡Qué caridad a estas horas! El padre guardián está en el coro.

DOÑA LEONOR

Traigo para su reverencia un recado urgente del padre Cleto definidor del convento de Córdoba, quien ya le ha escrito sobre el asunto de que vengo a hablarle.

HERMANO MELITÓN

¡Hola!... ¿Del padre Cleto, del definidor del Convento de Córdoba? Eso es distinto... Iré, iré a decírselo al padre guardián. Pero dígame, hijo: ¿el recado y la carta, son sobre aquel asunto con el padre general, que está pendiente allá en Madrid?

DOÑA LEONOR

Es una cosa muy interesante.

HERMANO MELITÓN

Pero, ¿para quién?

Para la criatura más infeliz del mundo.

HERMANO MELITÓN

¡Mala recomendación!... Pero, bueno, abriré la portería, aunque es contra regla, para que entréis a esperar.

DOÑA LEONOR

No, no, no puedo entrar... ¡¡Jesús!!

HERMANO MELITÓN

Bendito sea su santo nombre... ¿Pero sois algún excomulgado?... Si no, es cosa rara preferir el esperar al raso. En fin, voy a darle el recado, que probablemente no tendrá respuesta. Si no vuelvo, buenas noches; ahí a la bajadita está la villa, y hay un buen mesón: el de la tía Colasa. *(Ciérrase la ventanilla, y doña Leonor queda muy abatida.)*

ESCENA V

DOÑA LEONOR

¿Será tan larga y dura
Mi suerte miserable,
Que este santo prelado
Socorro y protección no quiera darme?
La rígida aspereza
Y las dificultades
Que ha mostrado el portero
Me pasman de terror, hielan mi sangre.
Mas no, si da el aviso

El reverendo padre,
Y éste es tan dulce y bueno
Cual dicen todos, volará a ampararme.
¡Oh, Soberana Virgen,
De desdichados Madre!
Su corazón ablanda.
Para que venga pronto a consolarme.

(Queda en silencio; da la una el reloj del convento; se abre la portería, en la que aparecen el padre Guardián y el hermano Melitón con un farol; éste se queda en la puerta y aquél sale a la escena.)

ESCENA VI

DOÑA LEONOR, el PADRE GUARDIÁN y el HERMANO MELITÓN

PADRE GUARDIÁN

¿El que me busca quién es?

DOÑA LEONOR

Yo soy, padre, qué quería...

PADRE GUARDIÁN

Ya se abrió la portería;
Entrad en el claustro, pues.

DOÑA LEONOR
(Muy sobresaltada.)

¡Ah!... Imposible, padre, no.

PADRE GUARDIÁN

¡Imposible!... ¿Qué decís?...

DOÑA LEONOR

Si que os hable permitís,
Aquí sólo puedo yo.

PADRE GUARDIÁN

Si os envía el padre Cleto,
Hablad, que es mi grande amigo.

DOÑA LEONOR

Padre, que sea sin testigo,
Porque me importa el secreto.

PADRE GUARDIÁN

¿Y quién?... Mas ya os entendí.
Retiraos, fray Melitón,
Y encajad ese portón;
Dejadnos solos aquí.

HERMANO MELITÓN

¿No lo dije? Secretitos.
Los misterios ellos solos,
Que los demás somos bolos
Para estos santos benditos.

PADRE GUARDIÁN

¿Qué murmura?

HERMANO MELITÓN

                    Que es tan
Premiosa esta puerta... y luego...

PADRE GUARDIÁN

Obedezca, hermano lego.

Ya me la echó de guardián.

(Ciérrase la puerta y váse.)

ESCENA VII

DOÑA LEONOR Y EL PADRE GUARDIÁN

PADRE GUARDIÁN
(Acercándose a Leonor.)

Ya estamos, hermano, solos.
¿Mas por qué tanto misterio?
¿No fuera más conveniente
Que entrárais en el convento?
No sé qué pueda impedirlo...
Entrad, pues, que yo os lo ruego;
Entrad, subid a mi celda;
Tomaréis un refrigerio,
Y después...

DOÑA LEONOR

No, padre mío.

PADRE GUARDIÁN

¿Qué os horroriza?... No entiendo...

DOÑA LEONOR
(Muy abatida.)

Soy una infeliz mujer.

PADRE GUARDIÁN
(Asustado.)

¡Una mujer!... ¡Santo cielo!
¡Una mujer!... A estas horas,
En este sitio... ¿Qué es esto?

DOÑA LEONOR

Una mujer infelice,
Maldición del universo,
Que a vuestras plantas rendida
(Se arrodilla.)
Os pide amparo y remedio,
Pues vos podéis libertarla
De este mundo y del infierno.

PADRE GUARDIÁN

Señora, alzad. Que son grandes
(La levanta.)
Vuestros infortunios creo,
Cuando os miro en este sitio
Y escucho tales lamentos.
¿Pero qué apoyo, decidme,
Qué amparo prestaros puedo
Yo, un humilde religioso,
Encerrado en estos yermos?

DOÑA LEONOR

¿No habéis, padre, recibido
La carta que el padre Cleto...

PADRE GUARDIÁN
(Recapacitando.)

¿El padre Cleto os envía?

DOÑA LEONOR

A vos, cual sólo remedio
De todos mis infortunios;
Si benigno los intentos
Que a estos montes me conducen
Permitís tengan efecto.

PADRE GUARDIÁN
(Sorprendido.)

¿Sois doña Leonor de Vargas?
¿Sois por dicha?... ¡Dios eterno!

DOÑA LEONOR
(Abatida.)

¡Os horroriza el mirarme!

PADRE GUARDIÁN
(Afectuoso.)

No, hija mía, no por cierto,
Ni permita Dios que nunca
Tan duro sea mi pecho,
Que a los desgraciados niegue
La compasión y el respeto.

DOÑA LEONOR

¡Yo lo soy tanto!

PADRE GUARDIÁN
Señora.
Vuestra agitación comprendo.
No es extraño, no. Seguidme,
Venid. Sentáos un momento
Al pie de esta cruz; su sombra
Os dará fuerza y consuelos.

(Lleva el Guardián a doña Leonor, y se sientan al pie de la cruz.)

DOÑA LEONOR

¡No me abandonéis, oh, padre!

PADRE GUARDIÁN

No, jamás; contad conmigo.

DOÑA LEONOR

De este santo monasterio
Desde que el término piso,
Más tranquila tengo el alma,
Con más libertad respiro.
Ya no me cercan, cual hace
Un año, que hoy se ha cumplido,
Los espectros y fantasmas
Que siempre en redor he visto.
Ya no me sigue la sombra
Sangrienta del padre mío,
Ni escucho sus maldiciones,
Ni su horrenda herida miro,
Ni...

PADRE GUARDIÁN

¡Oh, no lo dudo, hija mía!
Libre estáis en este sitio
De esas vanas ilusiones,
Aborto de los abismos.
Las insidias del demonio,
Las sombras a que da brío
Para conturbar al hombre,
No tienen aquí dominio.

DOÑA LEONOR

Por eso aquí busco ansiosa
Dulce consuelo y auxilio,
Y de la Reina del cielo
Bajo el regio manto abrigo.

PADRE GUARDIÁN

Vamos despacio, hija mía;
El padre Cleto me ha escrito
La resolución tremenda
Que al desierto os ha traído;
Pero no basta.

DOÑA LEONOR

                        Sí basta;
Es inmutable... lo fío,
Es inmutable.

PADRE GUARDIÁN

                 ¡Hija mía!

DOÑA LEONOR

Vengo resuelta, lo he dicho,
A sepultarme por siempre
En la tumba de estos riscos.

PADRE GUARDIÁN

¡Cómo!

DOÑA LEONOR

      ¿Seré la primera?...
No lo seré, padre mío.
Mi confesor me ha informado
De que en este santo sitio,
Otra mujer infelice
Vivió muerta para el siglo.
Resuelta a seguir su ejemplo
Vengo en busca de su asilo:
Dármelo sin duda puede
La gruta que le dio abrigo,
Vos la protección y amparo
Que para ello necesito,

Y la soberana Virgen
Su santa gracia y auxilio.

PADRE GUARDIÁN

No os engañó el padre Cleto,
Pues diez años ha vivido
Una santa penitente
En este yermo tranquilo,
De los hombres ignorada,
De penitencias prodigio.
En nuestra iglesia sus restos
Están, y yo los estimo
Como la joya más rica
De esta casa que, aunque indigno,
Gobierno en el santo nombre
De mi padre San Francisco.
La gruta que fue su albergue,
Y que reparos precisos
Se le hicieron, está cerca.
En ese hondo precipicio.
Aún existen en su seno
Los humildes utensilios
Que usó la santa; a su lado
Un arroyo cristalino
Brota apacible.

DOÑA LEONOR

        Al momento
Llevadme allá, padre mío.

PADRE GUARDIÁN

¡Oh, doña Leonor de Vargas!
¿Insistís?

DOÑA LEONOR

      Sí, padre, insisto.
Dios me manda...

PADRE GUARDIÁN

Raras veces
Dios tan grandes sacrificios
Exige de los mortales.
Y ¡ay de aquel que de un delirio
En el momento, hija mía,
Tal vez se engaña a sí mismo!
Todas las tribulaciones
De este mundo fugitivo,
Son, señora, pasajeras,
Al cabo encuentran alivio.
Y al Dios de bondad se sirve,
Y se le aplaca lo mismo
En el claustro, en el desierto,
De la corte en el bullicio,
Cuando se le entrega el alma
Con fe viva y pecho limpio.

DOÑA LEONOR

No es un acaloramiento,
No un instante de delirio,
Quien me sugirió la idea
Que a buscaros me ha traído
Desengaños de este mundo,
Y un año ¡ay Dios! de suplicios
De largas meditaciones,
De continuados peligros,
De atroces remordimientos,
De reflexiones conmigo,
Mi intención ha madurado
Y esfuerzo me han concedido
Para hacer voto solemne
De morir en este sitio.
Mi confesor venerable,
Que ya mi historia os ha escrito,
El Padre Cleto, a quien todos
Llaman santo, y con motivo,
Mi resolución aprueba;

Aunque, cual vos, al principio
Trató de desvanecerla
Con sus doctos raciocinios:
Y a vuestras plantas me envía
Para que me déis auxilio.
No me abandonéis, oh padre;
Por el cielo os lo suplico;
Mi resolución es firme,
Mi voto inmutable y fijo,
Y no hay fuerza en este mundo
Que me saque de estos riscos.

PADRE GUARDIÁN

Sois muy joven, hija mía;
¿Quién lo que el cielo propicio
Aún nos puede guardar sabe?

DOÑA LEONOR

Renuncio a todo, lo he dicho.

PADRE GUARDIÁN

Acaso aquel caballero...

DOÑA LEONOR

¿Qué pronunciáis?... ¡oh martirio!
Aunque inocente, manchado
Con sangre del padre mío
Está, y nunca, nunca...

PADRE GUARDIÁN

                    Entiendo.
Mas de vuestra casa el brillo,
Vuestros hermanos...

DOÑA LEONOR

Mi muerte
Sólo anhelan vengativos.

PADRE GUARDIÁN

¿Y la bondadosa tía
Que en Córdoba os ha tenido
Un año oculta?

DOÑA LEONOR

No puedo,
Sin ponerla en compromiso,
Abusar de sus bondades.

PADRE GUARDIÁN

Y qué, ¿más seguro asilo
No fuera, y más conveniente,
Con las esposas de Cristo,
En un convento?...

DOÑA LEONOR

No padre;
Son tantos los requisitos
Que para entrar en el claustro
Se exigen... y... ¡oh! no, Dios mío,
Aunque me encuentro inocente,
No puedo, tiemblo al decirlo,
Vivir sino donde nadie
Viva y converse conmigo.
Mi desgracia en toda España
Suena de modo distinto,
Y una alusión, una seña,
Una mirada, suplicios
Pudieran ser que me hundieran
Del despecho en el abismo.
No, jamás... Aquí, aquí sólo;

Si no me acogéis benigno,
Piedad pediré a las fieras
Que habitan en estos riscos,
Alimento a estas montañas,
Vivienda a estos precipicios.
No salgo de este desierto;
Una voz hiere mi oído,
Voz·del cielo, que me dice:
"Aquí, aquí" y aquí respiro.

*(Lleva el guardián a doña Leonor, y
se sientan ambos al pie de la cruz)*

No, no habrá fuerzas humanas
Que me arranquen de este sitio.

PADRE GUARDIÁN

(Levantándose y aparte.)

¡Será verdad, Dios eterno!
¿Será tan grande y tan alta
La protección que concede
Vuestra Madre Soberana
A mí, pecador indigno,
Que cuando soy de esta casa
Humilde prelado, venga
Con resolución tan santa
Otra mujer penitente
A ser luz de estas montañas?
¡Bendito seáis, Dios eterno,
Cuya omnipotencia narran
Esos cielos estrellados,
Escabel de vuestras plantas!

¿Vuestra vocación es firme?...
¿Sois tan bienaventurada?...

DOÑA LEONOR

Es inmutable, y cumplirla
La voz del cielo me manda.

PADRE GUARDIÁN

Sea, pues, bajo el amparo
De la Virgen Soberana.

(Extiende una mano sobre ella.)

DOÑA LEONOR

(Arrojándose a las plantas del padre guardián.)

¿Me acogéis?... ¡Oh Dios!... ¡Oh dicha!
¡Cuán feliz vuestras palabras
Me hacen en este momento!...

PADRE GUARDIÁN

(Levantándola.)

Dad a la Virgen las gracias.
Ella es la que asilo os presta
A la sombra de su casa.
No yo, pecador protervo,
Vil gusano, tierra, nada. *(Pausa.)*

DOÑA LEONOR

Y vos, tan sólo vos, ¡oh Padre mío!
Sabréis que habito en estas asperezas,
Ningún otro mortal...

PADRE GUARDIÁN

Yo solamente
Sabré quién sois. Pero que avise es fuerza
A la comunidad de que la ermita
Está ocupada y de que vive en ella,
Una persona penitente. Y nadie,
Bajo precepto santo de obediencia,
Osará aproximarse de cien pasos,
Ni menos penetrar la humilde cerca
Que a gran distancia la circunda en torno,
La mujer santa, antecesora vuestra,

Sólo fue conocida del prelado,
También mi antecesor. Que mujer era,
Lo supieron los otros religiosos,
Cuando se celebraron sus exequias.
Ni yo jamás he de volver a veros:
Cada semana, sí, con gran reserva,
Yo mismo os dejaré junto a la fuente
La escasa provisión: de recogerla
Cuidaréis vos... Una pequeña esquila,
Que está sobre la puerta con su cuerda,
Calando a lo interior, tocaréis sólo
De un gran peligro en la ocasión extrema
O en la hora de la muerte. Su sonido,
A mí, o al que cual yo prelado sea,
Avisará, y espiritual socorro
Jamás os faltará... No, nada tema.
La Virgen de los Angeles os cubre
Con su manto; será vuestra defensa
El ángel del Señor.

DOÑA LEONOR

                    Mas mis hermanos...
O bandidos tal vez...

PADRE GUARDIÁN

                    Y ¿quién pudiera
Atreverse, hija mía, sin que al punto
Sobre él tronara la venganza eterna?
Cuando vivió la penitente antigua
En este mismo sitio, adonde os lleva
Gracia especial del brazo omnipotente,
Tres malhechores, con audacia ciega
Llegar quisieron al albergue santo;
Al momento una horrísona tormenta
Se alzó, enlutando el indignado cielo,
Y un rayo desprendido de la esfera
Hizo ceniza a dos de los bandidos,
Y el tercero, temblando, a nuestra iglesia

Acogióse, vistió el escapulario,
Abrazando contrito nuestra regla,
Y murió a los dos meses.

DOÑA LEONOR

Bien ¡oh Padre!
Pues que encontré donde esconderme pueda
A los ojos del mundo, conducidme;
Sin tardanza llevadme...

PADRE GUARDIÁN

Al punto sea
Que ya la luz del alba se avecina.
Mas antes entraremos en la iglesia;
Recibiréis mi absolución, y luego
El pan de vida y de salud eterna.
Vestiréis el sayal de San Francisco,
Y os daré avisos que importaros puedan
Para la santa y penitente vida,
A que con gloria tanta estáis resuelta.

ESCENA VIII

PADRE GUARDIÁN

¡Hola!... Hermano Melitón.
¡Hola!... despierte le digo;
de la iglesia abra el postigo.

HERMANO MELITÓN

Pues qué, ¿ya las cinco son?...
(Sale bostezando.)
Apostaré a que no han dado. *(Bosteza.)*

La iglesia abra.

HERMANO MELITÓN

No es de día,

PADRE GUARDIÁN

¿Replica?... Por vida mía...

HERMANO MELITÓN

¿Yo?... en mi vida he replicado.
Bien podía el penitente
Hasta las cinco esperar;
Difícil será encontrar
Un pecador tan urgente.

*(Váse, y en seguida se oye descorrer el cerrojo de la
puerta de la iglesia, y se la ve abrirse lentamente.)*

HERMANO MELITÓN
(Conduciendo a Leonor hacia la iglesia.)

Vamos al punto, vamos.
En la casa de Dios, hermana entremos
Su nombre bendigamos,
En su misericordia confiemos.

JORNADA TERCERA

La escena es en Italia, en Veletri y sus alrededores.

ESCENA PRIMERA

El teatro representa una sala corta, alojamiento de oficiales cala-
veras. En las paredes estarán colgados en desorden uniformes, capo-
tes, sillas de caballos, armas, etc.; en medio habrá una mesa con
tapete verde, dos candeleros de bronce con velas de sebo: cuatro
oficiales alrededor, uno de ellos con la baraja en la mano; algunas
sillas desocupadas.

PEDRAZA

(Entra muy de prisa.) ¡Qué frío está esto!

OFICIAL PRIMERO

Todos se han ido en cuanto me han desplumado;
no he conseguido tirar ni una buena talla.

PEDRAZA

Pues precisamente va a venir un gran punto, y si
ve esto tan desierto y frío...

OFICIAL PRIMERO

¿Y quién es el pájaro?

7.—

TODOS

¿Quién?

PEDRAZA

El ayudante del general, ese teniente coronel que ha llegado con la orden de que al amanecer estemos sobre las armas. Es gran aficionado, tiene mucho rumbo, y a lo que parece es blanquito. Hemos cenado juntos en casa de la coronela, a quien ya le está echando requiebros, y el taimado de nuestro capellán lo marcó por suyo. Le convidó con que viniera a jugar, y ya lo trae hacia aquí.

OFICIAL PRIMERO

Pues, señores, ya es este otro cantar. Ya vamos a ser todos unos... ¿Me entienden ustedes?

TODOS

Sí, sí, muy bien pensado.

OFICIAL SEGUNDO

Como que es de plana mayor, y será contrario de los pobres pilíes.

OFICIAL CUARTO

A él, y duro.

OFICIAL PRIMERO

Pues para jugar con él tengo baraja preparada, más obediente que un recluta y más florida que el mes de mayo... *(Saca una baraja del bolsillo.)* Y aquí está.

OFICIAL TERCERO

¡Qué fino es usted, camarada!

No hay que jugar ases ni figuras. Y al avío, que
ya suena gente en la escalera. Tiro, tres a la derecha, nueve a la izquierda.

ESCENA II

DON CARLOS DE VARGAS Y EL CAPELLÁN

CAPELLÁN

Aquí viene, compañeros,
Un rumboso aficionado.

TODOS

Sea, pues, muy bien llegado.
(Levantándose y volviéndose a sentar.)

DON CARLOS

Buenas noches, caballeros.
¡Qué casa tan indecente! *(Aparte.)*
Estoy, vive Dios, corrido
De verme comprometido
A alternar con esta gente.

OFICIAL PRIMERO

Sentáos.
(Se sienta don Carlos, haciéndole todos lugar.)

CAPELLÁN

Señor capitán. *(Al banquero.)*
¿Y el concurso?

OFICIAL PRIMERO

        Se afufó. *(Barajando.)*
En cuanto me desbancó,
Toditos repletos van.
Se declaró un juego eterno
Que no he podido quebrar,
Y siempre salió a ganar
Una sota del infierno.
Veintidós veces salió
Y jamás a la derecha.

OFICIAL SEGUNDO

El que nunca se aprovecha
De tales gangas soy yo.

OFICIAL TERCERO

Y yo en el juego contrario
Me empeñé, que nada vi,
Y ya sólo estoy aquí
Para rezar el rosario.

CAPELLÁN

Vamos.

PEDRAZA

Vamos.

OFICIAL PRIMERO

Tiro.

DON CARLOS

Juego.

100

OFICIAL PRIMERO

Tiro, a la derecha el as,
Y a la izquierda la sotita.

OFICIAL SEGUNDO

Ya salió la muy maldita.
Por vida de Barrabás...

OFICIAL PRIMERO

Rey a la derecha, nueve
A la izquierda.

DON CARLOS

Yo lo gano.

OFICIAL PRIMERO

¡Tengo apestada la mano! *(Paga.)*
Tres onzas, nada se debe.
A la derecha la sota.

OFICIAL CUARTO

Ya quebró.

OFICIAL TERCERO

Pegarle fuego.

OFICIAL PRIMERO

A la izquierda siete.

DON CARLOS

Juego.

OFICIAL SEGUNDO

Solo el verla me rebota.

DON CARLOS

Copo.

CAPELLÁN

¿Con carta tapada?

OFICIAL PRIMERO

Tiro, a la derecha el tres.

PEDRAZA

¡Qué bonita carta es!

OFICIAL PRIMERO

Cuando sale descargada.
A la izquierda el cinco.

DON CARLOS

(Levantándose y sujetando la mano del que talla.)

No,
Con tiento, señor banquero,
    (Vuelve su carta.)
Que he ganado mi dinero,
Y trampas no sufro yo.

OFICIAL PRIMERO

¿Cómo trampas?... ¿Quién osar?...

DON CARLOS

Yo: pegado tras del cinco
Está el caballo; buen brinco
Le hicísteis, amigo dar.

OFICIAL PRIMERO

Soy hombre pundonoroso,
Y esto una casualidad...

DON CARLOS

Esta es una iniquidad ;
Vos un taimado tramposo.

PEDRAZA

Sois un loco, un atrevido.

DON CARLOS

Vos un vil, y con la espada...

TODOS

Esta es una casa honrada.

CAPELLÁN

Por Dios, no hagamos rüido.

DON CARLOS
(Echando a rodar la mesa.)

Abreviemos las razones.

TODOS
(Tomando las espadas.)

¡Muera, muera el insolente!

DON CARLOS
(Sale defendiéndose.)

¿Qué puede con un valiente
Una cueva de ladrones?

(Salen de la estancia acuchillándose, y dos o tres soldados retiran la mesa, las sillas y desembarazan la escena.)

ESCENA III

El teatro representa una selva en noche muy oscura. Aparece al fondo Don Alvaro, solo, vestido de capitán de granaderos; se acerca lentamente y dice con gran agitación:

DON ÁLVARO

(Solo.)

¡Qué carga tan insufrible
Es el ambiente vital,
Para el mezquino mortal
Que nace en signo terrible!
¡Qué eternidad tan horrible
La breve vida! ¡Este mundo,
Qué calabozo profundo
Para el hombre desdichado,
A quien mira el cielo airado
Con su ceño furibundo!
    Parece, sí, que a medida
Que es más dura y más amarga.
Más extiende, más alarga
El destino nuestra vida.
Si nos está concedida
Sólo para padecer,
Y debe muy breve ser
La del feliz, como en pena
De que su objeto no llena,
¡Terrible cosa es nacer!
    El que tranquilo, gozoso
Vive entre aplausos y honores,
Y de inocentes amores
Apura el cáliz sabroso,
Cuando es más fuerte y brioso,
La muerte sus dichas huella
Sus venturas atropella;
Y yo que infelice soy,

Yo que buscándola voy,
No puedo encontrar con ella.
   ¿Mas cómo la he de obtener,
¡Desventurado de mí!
Pues cuando infeliz nací,
Nací para envejecer;
Si aquel día de placer
(Que uno sólo he disfrutado)
Fortuna hubiese fijado,
¡Cuán pronto muerte precoz
Con su guadaña feroz
Mi cuello hubiera segado!
   Para engalanar mi frente,
Allá en la abrasada zona,
Con la espléndida corona
Del imperio de Occidente,
Amor y ambición ardiente
Me engendraron de concierto;
Pero con tal desacierto,
Con tan contraria fortuna,
Que una cárcel fue mi cuna,
Y fue mi escuela el desierto.
   Entre bárbaros crecí,
Y en la edad de la razón,
A cumplir la obligación
Que un hijo tiene, acudí;
Mi nombre ocultando fui
(Que es un crimen) a salvar
La vida, y así pagar
A los que a mí me la dieron.
Que un trono soñando vieron
Y un cadalso al despertar.
   Entonces risueño un día,
Uno sólo, nada más,
Me dio el destino; quizá
Con intención más impía.
Así en la cárcel sombría
Mete una luz el sayón,
Con la tirana intención

De que un punto el preso vea
El horror que lo rodea
En su espantosa mansión.
  ¡¡Sevilla!! ¡¡Guadalquivir!!
¡Cuál atormentáis mi mente!...
¡Noche en que vi de repente
Mis breves dichas huir!
¡Oh qué carga es el vivir!...
¡Cielos, saciad el furor!...
Socórreme, mi Leonor,
Gala del suelo andaluz,
Que ya eres ángel de luz
Junto al trono del Señor.

  Mírame desde tu altura
Sin nombre en extraña tierra
Empeñado en una guerra
Por ganar mi sepultura.
¿Qué me importa, por ventura,
Que triunfe Carlos o no?
¿Qué tengo de Italia en pro?
¿Qué tengo? ¡Terrible suerte!
Que en ella reina la muerte,
Y a la muerte busco yo.

  ¡Cuánto, oh Dios, cuánto se engaña
El que elogia mi ardor ciego,
Viéndome siempre en el fuego
De esta extranjera campaña!
Llámanme la prez de España,
Y no saben que mi ardor
Sólo es falta de valor,
Pues busco ansioso el morir
Por no osar el resistir
De los astros el furor.

  Si el mundo colma de honores
Al que mata a su enemigo,
El que lo lleva consigo
¿Por qué no puede?...

    (Oyese ruido de espadas.)

DON CARLOS. *(Dentro.)*

¡¡Traidores!!

VOCES *(Dentro.)*

¡Muera!

DON CARLOS *(Dentro.)*

¡Viles!

DON ÁLVARO *(Sorprendido.)*

¡Qué clamores!

DON CARLOS *(Dentro.)*

¡¡Socorro!!

DON ÁLVARO
(Desenvainando la espada.)

Dárselo quiero,
Que oigo crujir el acero;
Y si a los peligros voy
Porque desgraciado soy,
También voy por caballero.

Entrase; suena ruido de espadas; atraviesan dos hombres la escena
como fugitivos, y vuelven a salir **DON ALVARO** y **DON CARLOS**

ESCENA IV

DON ÁLVARO Y DON CARLOS, *con las espadas desnudas*

DON ÁLVARO

Huyeron... ¿Estáis herido?

DON CARLOS

Mil gracias os doy, señor,
Sin vuestro heroico valor
De cierto estaba perdido,
Y no fuera maravilla.
Eran siete contra mí,
Y cuando grité me vi
En tierra ya una rodilla.

DON ÁLVARO

¿Y herido estáis?
     DON CARLOS *(Reconociéndose.)*
        Nada siento.

(Envainan.)

DON ÁLVARO

¿Quiénes eran?

DON CARLOS

Asesinos

DON ÁLVARO

¿Cómo osaron tan vecinos
De un militar campamento?...

DON CARLOS

Os lo diré francamente:
Fue contienda sobre el juego.
Entré sin pensarlo, ciego,
En un casuco indecente...

DON ÁLVARO

Ya caigo; aquí, a mano diestra...

DON CARLOS

Sí.

DON ÁLVARO

Que extrañe perdonad,
Que un hombre de calidad,
Cual vuestro esfuerzo demuestra,
Entrara en tal gazapón,
Donde sólo va la hez,
La canalla más soez,
De la milicia borrón.

DON CARLOS

Sólo el ser recién llegado
Puede, señor, disculparme;
Vinieron a convidarme,
Y accedí desalumbrado.

DON ÁLVARO

¿Conque ha poco estáis aquí?

DON CARLOS

Diez días ha que llegué
A Italia; dos sólo que
Al cuartel general fui.
Y esta tarde al campamento
Con comisión especial
Llegué de mi general,
Para el reconocimiento
De mañana. Y si no fuera
Por vuestra espada y favor,
Mi carrera sin honor
Ya estuviera terminada.
Mi gratitud sepa, pues,
A quién la vida he debido,
Porque el ser agradecido

La obligación mayor es
Para el hombre bien nacido.

DON ÁLVARO

(Con indiferencia.)

Al acaso.

DON CARLOS

(Con expresión.)

Que me déis
Vuestro nombre a suplicaros
Me atrevo. Y para obligaros,
Primero el mío sabréis.
Siento no decir verdad: *(Aparte.)*
Soy don Félix de Avendaña,
Que he venido a esta campaña
Sólo por curiosidad.
Soy teniente coronel,
Y del general Briones
Ayudante: relaciones
Tengo de sangre con él.

DON ÁLVARO

(Aparte.)

¡Qué franco es y qué expresivo!
Me cautiva el corazón.

DON CARLOS

Me parece que es razón
Que sepa yo por quién vivo,
Pues la gratitud es ley.

DON ÁLVARO

Soy... don Fadrique de Herreros,
Capitán de granaderos
Del regimiento del Rey.

DON CARLOS

(Con grande admiración y entusiasmo.)
¿Sois... ¡grande dicha es la mía!
Del ejército español
La gloria, el radiante sol
De la hispana valentía?

DON ÁLVARO

Señor...

DON CARLOS

Desde que llegué
A Italia, sólo elogiaros
Y prez de España llamaros
Por donde quiera escuché.
Y de español tan valiente
Anhelaba la amistad.

DON ÁLVARO

Con ella, señor, contad,
Que me honráis muy altamente.
Y según os he encontrado
Contra tantos combatiendo
Bizarramente, comprendo
Que seréis muy buen soldado.
Y la gran cortesanía
Que en vuestro trato mostráis,
Dice a voces que gozáis
De aventajada hidalguía.

(Empieza a amanecer.)

Venid, pues, a descansar
A mi tienda.

DON CARLOS

Tanto honor,
Será muy corto, señor,
Que el alba empieza a asomar.
(Se oye a lo lejos tocar generala a las bandas de tambores.)

DON CARLOS

Y por todo el campamento,
De los tambores el son
Convoca a la formación.
Me voy a mi regimiento.

DON ÁLVARO

Yo también, y a vuestro lado
Asistiré en la pelea,
Donde os admire y os vea
Como a mi ejemplo y dechado.

DON CARLOS

Favorecedor y amigo,
Si sois cual cortés valiente,
Yo de vuestro arrojo ardiente
Seré envidioso testigo. *(Vánse.)*

ESCENA V

El teatro representa un risueño campo de Italia, al amanecer; se verá
a lo lejos el pueblo de Veletri y varios puestos militares; algunos cuer-
pos de tropa cruzan la escena, y luego sale una compañía de infantería
con EL CAPITAN, EL TENIENTE y EL SUBTENIENTE; DON
CARLOS sale a caballo con un ordenanza detrás y coloca la compañía
a un lado, avanzando una guerrilla al fondo del teatro

DON CARLOS

Señor capitán, permaneceréis aquí hasta nueva
orden; pero si los enemigos arrollan las guerrillas

y se dirigen a esa altura donde está la compañía de Cantabria, marchad a socorrerla a todo trance.

CAPITÁN

Está bien: cumpliré con mi obligación. *(Váse don Carlos.)*

ESCENA VI

CAPITÁN

Granaderos, en su lugar descanso. Parece que lo entiende este ayudante.

(Salen los oficiales de las filas y se reúnen, mirando con un anteojo hacia donde suena rumor de fusilería.)

TENIENTE

Se va galopando al fuego como un energúmeno y la acción se empeña más y más.

SUBTENIENTE

Y me parece que ha de ser muy caliente.

CAPITÁN

(Mirando con el anteojo.) Bien combaten los granaderos del Rey.

TENIENTE

Como que llevan a la cabeza a la prez de España, al valiente don Fadrique de Herreros, que pelea como un desesperado.

SUBTENIENTE

(Tomando el anteojo y mirando con él.) Pues los alemanes cargan a la bayoneta y con brío; adiós, que nos desalojan de aquel puesto. *(Se aumenta el tiroteo.)*

CAPITÁN

(Toma el anteojo.) A ver, a ver... ¡Ay! Si no me engaño, el capitán de granaderos del Rey ha caído muerto o herido; lo veo claro, muy claro.

TENIENTE

Yo distingo que se arremolina la compañía... y creo que retrocede.

SOLDADOS

¡A ellos, a ellos!

CAPITÁN

Silencio. Firmes. *(Vuelve a mirar con el anteojo.)* Las guerrillas también retroceden.

SUBTENIENTE

Uno corre a caballo hacia allá.

CAPITÁN

Sí, es el ayudante... Está reuniendo la gente y carga... ¡con qué denuedo!... nuestro es el día.

TENIENTE

Sí, veo huir a los alemanes.

SOLDADOS

¡A ellos!

CAPITÁN

Firmes, granaderos. *(Mira con el anteojo.)* El ayudante ha recobrado el puesto, la compañía del Rey carga a la bayoneta y lo arrolla todo.

TENIENTE

A ver, a ver. *(Toma el anteojo y mira.)* Sí, cierto. Y el ayudante se apea del caballo y retira en sus brazos al capitán don Fadrique. No debe de estar más que herido; se lo llevan hacia Veletri.

TODOS

Dios nos le conserve, que es la flor del ejército.

CAPITÁN

Pero por este lado no va tan bien. Teniente, vaya usted a reforzar con la mitad de la compañía las guerrillas que están en esa cañada; que yo voy a la compañía de Cantabria; vamos, vamos.

TODOS

¡Viva España! ¡Viva España! ¡Viva Nápoles! *(Marchan.)*

ESCENA VII

El teatro representa el alojamiento de un oficial superior; al frente estará la puerta de la alcoba, practicable y con cortinas. Entra DON ALVARO herido y desmayado en una camilla, llevada por cuatro granaderos, EL CIRUJANO a un lado y DON CARLOS a otro, lleno de polvo y como muy cansado; un soldado traerá la maleta de don Alvaro y la pondrá sobre una mesa; colocarán la camilla en medio de la escena, mientras los granaderos entran en la alcoba a hacer la cama

DON CARLOS

Con mucho, mucho cuidado,

Dejadle aquí, y al momento
Entrad a arreglar mi cama.

(Vánse a la alcoba dos de los soldados y quedan
otros dos.)

CIRUJANO

Y que haya mucho silencio.

DON ÁLVARO
(Volviendo en sí.)

¿Dónde estoy? ¿Dónde?

DON CARLOS
(Con mucho cariño.)

En Veletri,
A mi lado, amigo excelso.
Nuestra ha sido la victoria.
Tranquilo estad.

DON ÁLVARO

¡Dios eterno!
¡Con salvarme de la muerte,
Qué gran daño me habéis hecho!

DON CARLOS

No digáis tal, don Fadrique,
Cuando tan vano me encuentro
De que salvaros la vida
Me haya concedido el cielo.

DON ÁLVARO

¡Ay, don Félix de Avendaña,
Qué grande mal me habéis hecho.
(Se desmaya.)

CIRUJANO

Otra vez se ha desmayado;
Agua y vinagre.

DON CARLOS
(A uno de los soldados.)

Al momento.
¿Está de mucho peligro? *(Al cirujano.)*
Este balazo del pecho.
En donde aún tiene la bala,
Me da muchísimo miedo;
Lo que es las otras heridas
No presentan tanto riesgo.

DON CARLOS
(Con gran vehemencia.)

Salvad su vida, salvadle;
Apurad todos los medios
Del arte, y os aseguro
Tal galardón...

CIRUJANO

Lo agradezco;
Para cumplir con mi oficio
No necesito de cebo,
Que en salvar a este valiente
Interés muy grande tengo.

*(Entra el soldado con un vaso de agua y vinagre. El
Cirujano le rocía el rostro y le aplica un pomito a
las narices.)*

DON ÁLVARO
(Vuelve en sí.)

¡Ay!

DON CARLOS

Ánimo, noble amigo,
Cobrad ánimo y aliento;
Pronto, muy pronto curado
Y restablecido y bueno
Volveréis a ser la gloria,
El norte de los guerreros.
Y a vuestras altas hazañas
El Rey dará todo el premio
Que merece. Sí, muy pronto,
Lozano, otra vez, cubierto
De palmas inmarchitables
Y de laureles eternos,
Con una rica encomienda
Se adornará vuestro pecho
De Santiago o Calatrava.

DON ÁLVARO
(Muy agitado.)

¿Qué escucho? ¿Qué? ¡Santo cielo!
¡Ah!..., no, no de Calatrava:
Jamás, jamás... ¡Dios eterno!

CIRUJANO

Ya otra vez se desmayó:
Sin quietud y sin silencio
No habrá forma de curarlo,
Que no le habléis más os ruego.

*(A don Carlos.—Vuelve a darle agua y aplicarle
el pomito a las narices.)*

DON CARLOS
(Suspenso aparte.)

El nombre de Calatrava,
¿Qué tendrá, qué tendrá..., tiemblo,
De terrible a sus oídos?...

CIRUJANO

No puedo esperar más tiempo.
¿Aún no está lista la cama?

DON CARLOS
(Mirando a la alcoba.)

Ya lo está.

(Salen los dos soldados.)

CIRUJANO
(A los cuatro soldados.)

Llevadle luego.

DON ÁLVARO

¡Ay de mí! *(Volviendo en sí.)*

CIRUJANO

Llevadle.

DON ÁLVARO
(Haciendo esfuerzos.)

Esperen.
Poco, por lo que en mí siento,
Me queda ya de este mundo,
Y en el otro pensar debo.
Mas antes de desprenderme
De la vida, de un gran peso
Quiero descargarme. Amigo,
(A don Carlos.)
Un favor tan sólo anhelo.

CIRUJANO

Si habláis, señor, no es posible...

DON ÁLVARO

No volver a hablar prometo.
Pero sólo una palabra,
Y a él sólo, que decir tengo.

DON CARLOS
(Al Cirujano y soldados.)

Apartad, démosle gusto;
Dejadnos por un momento.

(Se retira el Cirujano y los asistentes a un lado.)

DON ÁLVARO

Don Félix, vos solo, solo, *(Dále la mano.)*
Cumpliréis con lo que quiero
De vos exigir. Juradme
Por la fe de caballero
Que haréis cuanto aquí os encargue,
Con inviolable secreto.

DON CARLOS

Yo os lo juro, amigo mío;
Acabad, pues.

*(Hace un esfuerzo don Álvaro como para meter la
mano en el bolsillo y no puede.)*

DON ÁLVARO

¡Ah!..., no puedo.
Meted en este bolsillo,
Que tengo aquí al lado izquierdo
Sobre el corazón, la mano.
      (Lo hace don Carlos.)
¿Halláis algo en él?

DON CARLOS

Sí, encuentro
Una llavecita...

DON ÁLVARO

Es ésa.
(Saca don Carlos la llave.)
Con ella abrid, yo os lo ruego,
A solas y sin testigos,
Una caja que en el centro
Hallaréis de mi maleta.
En ella con sobre y sello
Un legajo hay de papeles;
Custodiadlos con esmero,
Y al momento que yo expire
Los daréis, amigo, al fuego.

DON CARLOS

¿Sin abrirlos?

DON ÁLVARO

(Muy agitado.)
Sin abrirlos,
Que en ellos hay un misterio
Impenetrable... ¿Palabra
Me dais, don Félix, de hacerlo?

DON CARLOS

Yo os la doy con toda el alma.

DON ÁLVARO

Entonces, tranquilo muero.
Dadme el postrimer abrazo,
Y !adiós, adiós!

CIRUJANO

(Enfadado.)

Al momento
A la alcoba. Y vos, don Félix,
Si es que tenéis tanto empeño
En que su vida se salve,
Haced que guarde silencio:
Y excusad también que os vea,
Pues se conmueve en extremo.

(Llévanse los soldados la camilla; entra también el Cirujano, y don
Carlos queda pensativo y lloroso)

ESCENA VIII

DON CARLOS

¿Ha de morir..., ¡qué rigor!,
Tan bizarro militar?
Si no lo puedo salvar
Será eterno mi dolor.
Puesto que él me salvó a mí,
Y desde el momento aquel
Que guardó mi vida él,
Guardar la suya ofrecí. *(Pausa.)*
Nunca vi tanta destreza
En las armas, y jamás
Otra persona de más
Arrogancia y gentileza.
Pero es hombre singular;
Y en el corto tiempo que
Le trato, rasgos noté
Que son dignos de extrañar. *(Pausa.)*
¿Y de Calatrava el nombre
Por qué así le horrorizó
Cuando pronunciarlo oyó?...

¿Qué hallará en él que le asombre?
¡Sabrá que está deshonrado!...
Será un hidalgo andaluz...
¡Cielos!... ¡Qué rayo de luz
Sobre mí habéis derramado
En este momento!... Sí.
¿Podrá ser éste el traidor,
De mi sangre deshonor,
El que a buscar vine aquí?

(Furioso y empuñando la espada.)

¿Y aún respira?... No, ahora mismo
A mis manos...

(Corre hacia la alcoba y se detiene.)

        ¿Dónde estoy?...
¿Ciego a despeñarme voy
De la infamia en el abismo?
¿A quien mi vida salvó,
Y que moribundo está,
Matar inerme podrá
Un caballero cual yo? *(Pausa.)*
¿No puede falsa salir
Mi sospecha?... Sí... ¿Quién sabe?...
Pero, ¡cielos!, esta llave
Todo me lo va a decir.

*(Se acerca a la maleta, la abre precipitado y saca la
caja, poniéndola sobre la mesa.)*

Salid, caja misteriosa,
Del destino urna fatal,
A quien con sudor mortal,
Toca mi mano medrosa;
Me impide abrirte el temblor
Que me causa el recelar
Si en tu centro voy a hallar
Los pedazos de mi honor.

        (Resuelto y abriendo.)

Mas no, que en ti mi esperanza,
La luz que me da el destino,
Está para hallar camino

Que me lleve a la venganza.
(Abre y saca un legajo sellado.)
Ya el legajo tengo aquí.
¿Qué tardo el sello en romper?...
(Se contiene.)
¡Oh, cielos! ¡Qué voy a hacer!
¿Y la palabra que di?
¿Mas si la suerte me da
tan inesperado medio
De dar a mi honor remedio,
El perderlo qué será
Si a Italia sólo he venido
A buscar al matador
De mi padre y de mi honor,
Con nombre y porte fingido,
¿Qué importa que el pliego abra,
Si lo que vine a buscar
A Italia voy a encontrar?...
Pero no, di mi palabra.
Nadie, nadie aquí lo ve...
¡Cielos!, lo estoy viendo yo.
Mas si él mi vida salvó,
También la suya salvé.
Y si es el infame indiano,
El seductor asesino,
¿No es bueno cualquier camino
Por donde venga a mi mano?
Rompo esta cubierta, sí,
Pues nadie lo ha de saber...
Mas, !cielos!, ¿qué voy a hacer?
¿Y la palabra que di? *(Suelta el legajo.)*
No, jamás. ¡Cuán fácilmente
Nos pinta nuestra pasión
Una infame y vil acción
Como acción indiferente!
A Italia vine anhelando
Mi honor manchado lavar.
¿Y mi empresa ha de empezar
El honor amancillando?

Queda, oh secreto, escondido,
Si en este legajo estás;
Que un medio infame, jamás
Lo usa el hombre bien nacido.
          (Registrando la maleta.)
Si encontrar aquí pudiera
Algún otro abierto indicio
Que, sin hacer perjuicio
A mi opinión, me advirtiera...
          (Sorprendido.)
¡Cielos!... Lo hay... Esta cajilla,
  (Saca una cajita como de retrato.)
Que algún retrato contiene,
          (Reconociéndola.)
Ni sello ni sobre tiene.
Tiene sólo una aldabilla.
Hasta sin ser indiscreto
Reconocerla me es dado;
Nada de ella me han hablado,
Ni rompo ningún secreto.
Ábrola, pues, en buena hora,
Aunque un basilisco vea,
Aunque para el mundo sea
Caja fatal de Pandora.
     (La abre, y exclama muy agitado.)
¡Cielos!..., no..., no me engañé,
Ésta es mi hermana Leonor...
¿Para qué prueba mayor?...
Con la más clara encontré.
Ya está todo averiguado;
Don Álvaro es el herido.
Brújula el retrato ha sido
Que mi norte me ha marcado.
¿Y a la infame... me atribulo,
Con él en Italia tiene?...
Descubrirlo me conviene
Con astucia y disimulo,
¡Cuán feliz será mi suerte
Si la venganza y castigo

Sólo de un golpe consigo,
A los dos dando la muerte!...
Mas..., ¡ah!..., no me precipite
Mi honra, ¡cielos!, ofendida.
Guardad a este hombre la vida
Para que yo se la quite.

(Vuelve a colocar los papeles y el retrato en la
maleta. Se oye ruido y queda suspenso.)

ESCENA IX

EL CIRUJANO, que sale muy contento

CIRUJANO

Albricias pediros quiero;
Ya le he sacado la bala. *(Se la enseña.)*
Y no es la herida tan mala
Cual me pareció primero.

DON CARLOS

(Le abraza fuera de sí.)

¿De verás?... Feliz me hacéis:
Por ver bueno al capitán,
Tengo, amigo, más afán
Del que imaginar podéis.

JORNADA CUARTA

La escena es en Veletri.

ESCENA PRIMERA

El teatro representa una sala corta, de alojamiento militar.
DON ALVARO y DON CARLOS

DON CARLOS

Hoy que vuestra cuarentena
Dichosamente cumplís,
De salud, ¿cómo os sentís?
¿Es completamente buena?...
¿Reliquia alguna notáis
De haber tanto padecido?
¿Del todo restablecido
Y listo y fuerte os halláis?

DON ÁLVARO

Estoy como si tal cosa;
Nunca tuve más salud,
Y a vuestra solicitud
Debo mi cura asombrosa.
Sois excelente enfermero;
Ni una madre por un hijo
Muestra un afán más prolijo,
Tan gran cuidado y esmero.

DON CARLOS

En extremo interesante
Me era la vida salvaros.

DON ÁLVARO

¿Y con qué, amigo, pagaros
Podré interés semejante?
Y aunque gran mal me habéis hecho
En salvar mi amarga vida,
Será eterna y sin medida
La gratitud de mi pecho.

DON CARLOS

¿Y estáis tan repuesto y fuerte
Que sin ventaja pudiera
Un enemigo cualquiera?...

DON ÁLVARO

Estoy, amigo, de suerte
Que en casa del coronel
He estado ya a presentarme,
Y de alta acabo de darme
Ahora mismo en el cuartel.

DON CARLOS

¿De verás?

DON ÁLVARO

            ¿Os enojáis
Porque ayer no os dije acaso
Que iba hoy a dar este paso?
Como tanto me cuidáis,
Que os opusierais temí;
Y estando sano, en verdad,
Vivir en la ociosidad
No era honroso para mí.

DON CARLOS

¿Conque ya no os duele nada,
Ni hay asomo de flaqueza
En el pecho, en la cabeza,
Ni en el brazo de la espada?

DON ÁLVARO

No... Pero parece que
Algo, amigo, os atormenta,
Y que acaso os descontenta
El que yo tan bueno esté.

DON CARLOS

¡Al contrario!... Al veros bueno,
Capaz de entrar en acción,
Palpita mi corazón
Del placer más alto lleno.
Solamente no quisiera
Que os engañara el valor,
Y que el personal vigor
En una ocasión cualquiera...

DON ÁLVARO

¿Queréis pruebas?

DON CARLOS
(Con vehemencia.)

Las deseo.

DON ÁLVARO

A la descubierta vamos
De mañana, y enredamos
Un rato de tiroteo.

DON CARLOS

La prueba se puede hacer,
Pues que estáis fuerte, sin ir
Tan lejos a combatir,
Que no hay tiempo que perder.

DON ÁLVARO
(Confuso.)

No os entiendo...

DON CARLOS

         ¿No tendréis
Sin ir a los imperiales,
Enemigos personales
Con quien probaros podréis?

DON ÁLVARO

¿A quién le faltan?... Mas no
Lo que me decís comprendo.

DON CARLOS

Os lo está a voces diciendo
Más la conciencia que yo.
Disimular fuera en vano...
Vuestra turbación es harta...
¿Habéis recibido carta
De don Álvaro el indiano?

DON ÁLVARO
(Fuera de sí.)

¡Ah, traidor!... ¡Ah, fementido!...
Violaste, infame, un secreto,
Que yo débil, yo indiscreto,
Moribundo..., inadvertido...

DON CARLOS

¿Qué osáis pensar?... Respeté
Vuestros papeles sellados,
Que los que nacen honrados
Se portan cual me porté.
El retrato de la infame
Vuestra cómplice os perdió,
Y sin lengua me pidió
Que el suyo y mi honor reclame.
Don Carlos de Vargas soy,
Que por vuestro crimen es
De Calatrava marqués:
Temblad, que ante vos estoy.

DON ÁLVARO

No sé temblar... Sorprendido,
Sí, me tenéis...

DON CARLOS

      No lo extraño.

DON ÁLVARO

¿Y usurpar con un engaño
Mi amistad honrado ha sido?
¡Señor marqués!

DON CARLOS

      De esa suerte
No me permito llamar,
Que sólo he de titular
Después de daros la muerte.

DON ÁLVARO

Aconteceros pudiera
Sin el título morir.

DON CARLOS

Vamos pronto a combatir,
Quedemos o dentro o fuera.
Vamos donde mi furor...

DON ÁLVARO

Vamos, pues, señor don Carlos,
Que si nunca fui a buscarlos,
No evito lances de honor.
Mas esperad, que en el alma
Del que goza de hidalguía,
No es furia la valentía,
Y esta obra siempre con calma.
Sabéis que busco la muerte,
Que los riesgos solicito,
Pero con vos necesito
Comportarme de otra suerte;
Y explicaros...

DON CARLOS

Es perder
Tiempo toda explicación.

DON ÁLVARO

No os neguéis a la razón,
Que suele funesto ser.
Pues trataron las estrellas
Por raros modos de hacernos
Amigos, ¿a qué oponernos
A lo que buscaron ellas?
Si nos quisieron unir
De mutuos y altos servicios
Con los vínculos propicios,
No fue, no, para reñir.
Tal vez fue para enmendar
La desgracia inevitable
De que yo no fui culpable.

DON CARLOS

¿Y me osáis recordar?

DON ÁLVARO

¿Teméis que vuestro valor
Se disminuya y se asombre,
Si halla en su contrario un hombre
De nobleza y pundonor?

DON CARLOS

¡Nobleza un aventurero!
¡Honor un desconocido!
¡Sin padre, sin apellido,
Advenedizo, altanero!

DON ÁLVARO

¡Ay, que ese error a la muerte,
Por más que lo evité yo,
A vuestro padre arrastró!...
No corráis la misma suerte.
Y que infundados agravios
E insultos no ofenden, muestra
El que está ociosa mi diestra
Sin arrancaros los labios.
Si un secreto misterioso
Romper hubiera podido,
¡Oh!..., cuán diferente sido...

DON CARLOS

Guardadlo, no soy curioso.
Que sólo anhelo venganza
Y sangre.

DON ÁLVARO

¿Sangre?... La habrá.

DON CARLOS

Salgamos al campo ya.

DON ÁLVARO

Salgamos sin más tardanza. *(Deteniéndose.)*
Mas, don Carlos... ¡Ah! ¿Podréis
Sospecharme con razón
de falta de corazón?
No, no, que me conocéis.
Si el orgullo, principal
Y tan poderoso agente
En las acciones del ente
Que se dice racional,
Satisfecho tengo ahora,
Esfuerzos no he de omitir
Hasta aplacar conseguir
Ese furor que os devora.
Pues mucho repugno yo
El desnudar el acero
Con el hombre que primero
Dulce amistad me inspiró.
Yo a vuestro padre no herí,
Le hirió sólo su destino.
Y yo, a aquel ángel divino,
Ni seduje, ni perdí.
Ambos nos están mirando
Desde el cielo; ni inocencia
Ven, esa ciega demencia
Que os agita, condenando.

DON CARLOS
(Turbado.)

Pues qué, ¿mi hermana?... ¿Leonor?...
(Que con vos aquí no está
Lo tengo aclarado yo.)
Mas, ¿cuándo ha muerto?... ¡Oh furor!

DON ÁLVARO

Aquella noche terrible
Llevándola yo a un convento,
Exánime, y sin aliento,
Se trabó un combate horrible
Al salir del olivar
Entre mis fieles criados
Y los vuestros irritados,
Y no la pude salvar.
Con tres heridas caí,
Y un negro de puro fiel
(Fidelidad bien cruel),
Veloz me arrancó de allí,
Falto de sangre y sentido;
Tuve en Gelves larga cura,
Con accesos de locura;
Y apenas restablecido
Ansioso empecé a indagar
De mi único bien la suerte,
Y supe, ¡ay Dios!, que la muerte
En el oscuro olivar...

DON CARLOS

(Resuelto.)

¡Basta, prudente impostor!
¿Y os preciáis de caballero?...
¿Con embrollo tan grosero
Queréis calmar mi furor?
Deponed tan necio engaño:
Después del funesto día.
En Córdoba, con su tía,
Mi hermana ha vivido un año.
Dos meses ha que fui yo
A buscarla, y no la hallé.
Pero de cierto indagué
Que al verme llegar huyó.

Y el perseguirla he dejado,
Porque sabiendo yo allí
Que vos estabais aquí,
Me llamó mayor cuidado.

DON ÁLVARO
(Muy conmovido.)

¡Don Carlos!... ¡Señor!... ¡Amigo!
¡Don Félix!... ¡Ah!..., tolerad
Que el nombre que en amistad
Tan tierna os unió conmigo
Use en esta situación.
¡Don Félix!..., soy inocente;
Bien lo podéis ver patente
En mi nueva agitación.
¡Don Félix!... ¡Don Félix!... ¡Ah!...
¿Vive?..., ¿vive?..., ¡oh justo Dios!

DON CARLOS

Vive; ¿y qué os importa a vos?
Muy pronto no vivirá.

DON ÁLVARO

Don Félix, mi amigo; sí.
Pues que vive vuestra hermana,
La satisfacción es llana
Que debéis tomar en mí.
A buscarla juntos vamos;
Muy pronto la encontraremos,
Y en santo nudo estrechemos
La amistad que nos juramos.
¡Oh!... Yo os ofrezco, yo os juro
Que no os arrepentiréis
Cuando a conocer lleguéis
Mi origen excelso y puro.
Al primer grande español
No le cedo en jerarquía;

Es más alta mi hidalguía
Que el trono del mismo sol.

¿Estáis, don Álvaro, loco?
¿Qué es lo que pensar osáis?
¿Qué proyectos abrigáis?
¿Me tenéis a mí en tan poco?
Ruge entre los dos un mar
De sangre... ¿Yo al matador
De mi padre y de mi honor
Pudiera hermano llamar?
¡Oh afrenta! Aunque fuerais rey.
Ni la infame ha de vivir.
No, tras de vos a morir,
Que es de mi venganza ley.
Si a mí vos no me matáis,
Al punto la buscaré,
Y la misma espada que
Con vuestra sangre tiñáis,
En su corazón...

DON ÁLVARO

Callad.
Callad... ¿Delante de mí
Osasteis?...

DON CARLOS

Lo juro, sí;
Lo juro...

DON ÁLVARO

¿El qué?..., continuad.

DON CARLOS

La muerte de la malvada,
En cuanto acabe con vos.

DON ÁLVARO

Pues no será, vive Dios,
Que tengo brazo y espada.
Vamos... Libertarla anhelo
De su verdugo. Salid.

DON CARLOS

A vuestra tumba venid.

DON ÁLVARO

Demandad perdón al cielo.

ESCENA II

El teatro representa la plaza principal de Veletri; a un lado y otro
se ven tiendas y cafés; en medio, puestos de frutas y verduras; al
fondo, la guardia del Principal, y el centinela paseándose delante del
armero; los oficiales, en grupos a una parte y otra, y la gente del
pueblo cruzando en todas direcciones. El TENIENTE, SUBTENIENTE
y PEDRAZA se reunirán a un lado de la escena, mientras los
OFICIALES primero, segundo, tercero y cuarto hablan entre sí,
después de leer un edicto que está fijado en una esquina y que llama
la atención de todos

OFICIAL PRIMERO

El rey Carlos de Nápoles no se chancea ; pena de
muerte nada menos.

OFICIAL SEGUNDO

¿Cómo pena de muerte?

OFICIAL TERCERO

Hablamos de la ley que se acaba de publicar, y
que allí está para que nadie la ignore, sobre desafíos.

OFICIAL SEGUNDO

Ya, ciertamente es un poco dura.

OFICIAL TERCERO

Yo no sé cómo un Rey tan valiente y joven puede ser tan severo contra los lances de honor.

OFICIAL PRIMERO

Amigo, es que cada uno arrima el ascua a su sardina; y como siempre los desafíos suelen ser entre españoles y napolitanos, y éstos llevan lo peor, el rey, que al cabo es Rey de Nápoles...

OFICIAL SEGUNDO

No, esas son fanfarronadas, pues hasta ahora no han llevado siempre lo peor los napolitanos; acordaos del mayor Caraciolo, que despabiló a dos oficiales.

TODOS

Eso fue una casualidad.

OFICIAL PRIMERO

Lo cierto es que la ley es dura; pena de muerte por batirse; pena de muerte por ser padrino; pena de muerte por llevar cartas, qué se yo. Pues el primero que caiga...

OFICIAL SEGUNDO

No, no es tan rigurosa.

OFICIAL PRIMERO

¿Cómo no? Vean ustedes. Leamos otra vez. *(Se acercan a leer el edicto y se adelantan en la escena los otros.)*

SUBTENIENTE

¡Hermoso día!

TENIENTE

Hermosísimo. Pero pica mucho el sol.

PEDRAZA

Buen tiempo para hacer la guerra.

TENIENTE

Mejor es para los heridos convalecientes. Yo me siento hoy enteramente bueno de mi brazo.

SUBTENIENTE

También me parece que el valiente capitán de granaderos del Rey está enteramente restablecido. ¡Bien pronto se ha curado!

PEDRAZA

¿Se ha dado ya de alta?

TENIENTE

Sí, esta mañana. Está como si tal cosa; un poco pálido, pero fuerte. Hace un rato que lo encontré; iba como hacia la Alameda a dar un paseo con su amigote el ayudante don Félix de Avendaña.

SUBTENIENTE

Bien puede estarle agradecido, pues además de haberlo sacado del campo de batalla, le ha salvado la vida con su prolija y esmerada asistencia.

También puede dar gracias a la habilidad del doctor Pérez, que se ha acreditado de ser el mejor cirujano del ejército.

SUBTENIENTE

Y no lo perderá; pues, según dicen, el ayudante, que es muy rico y generoso, le va a hacer un gran regalo.

PEDRAZA

Bien puede; pues según me ha dicho un sargento de mi compañía, andaluz, el tal don Félix está aquí con nombre supuesto, y es un marqués riquísimo de Sevilla.

TODOS

¿De verás? *(Se oye ruido y se arremolinan todos mirando hacia el mismo lado.)*

TENIENTE

¡Hola! ¿Qué alboroto es aquél?
Veamos… Sin duda algún preso. Pero, ¡Dios mío!, ¿qué veo?

PEDRAZA

¿Qué es aquello?

TENIENTE

¿Estoy soñando?... ¿No es el capitán de granaderos del Rey el que traen preso?

TODOS

No hay duda, es el valiente don Fadrique. *(Se*

agrupan todos sobre el primer bastidor de la derecha, por donde sale el capitán Preboste y cuatro granaderos, y en medio de ellos preso, sin espada ni sombrero, don Álvaro; y atravesando la escena, seguidos por la multitud, entran en el cuerpo de guardia, que está al fondo; mientras tanto se desembaraza el teatro. Todos vuelven a la escena, menos Pedraza, que entra en el cuerpo de guardia.)

TENIENTE

Pero, señor, ¿qué será esto? ¿Preso el militar más valiente, más exacto que tiene el ejército?

SUBTENIENTE

Ciertamente es cosa muy rara.

TENIENTE

Vamos a averiguar...

SUBTENIENTE

Ya viene aquí Pedraza, que sale del cuerpo de guardia, y sabrá algo. ¡Hola, Pedraza, ¿qué ha sido?

PEDRAZA

(Señalando al edicto, y se reúne más gente a los cuatro oficiales.) Muy mala causa tiene. Desafío... El primero que quebranta la ley; desafío y muerte.

TODOS

¡¡Cómo!! ¿Y con quién?

PEDRAZA

¡Caso extrañísimo! El desafío ha sido con el teniente coronel Avendaña.

TODOS

¡Imposible!... ¡Con su amigo!

PEDRAZA

Muerto le deja de una estocada ahí detrás del cuartel.

TODOS

¡Muerto!

PEDRAZA

Muerto.

OFICIAL PRIMERO

Me alegro, que era un botarate.

OFICIAL SEGUNDO

Un insultante.

TENIENTE

¡Pues, señores, la ha hecho buena! Mucho me temo que va a estrenar aquella ley.

TODOS

¡Qué horror!

SUBTENIENTE

Será una atrocidad. Debe haber alguna excepción a favor de oficial tan valiente y benemérito.

PEDRAZA

Sí, ya está fresco.

El capitán Herreros es. con razón, el ídolo del ejército. Y yo creo que el general y el coronel y los jefes todos, tanto españoles como napolitanos, hablarán al Rey..., y tal vez...

SUBTENIENTE

El rey Carlos es tan testarudo..., y como éste es el primer caso que ocurre, el mismo día que se ha publicado la ley... No hay esperanza. Esta noche misma se juntará el Consejo de guerra, y antes de tres días le arcabucean... Pero ¿sobre qué habrá sido el lance?

PEDRAZA

Yo no sé, nada me han dicho. Lo que es el capitán tiene malas pulgas, y su amigote era un poco caliente de lengua.

OFICIALES PRIMERO Y CUARTO

Era un charlatán, un fanfarrón.

SUBTENIENTE

En el café han entrado algunos oficiales del regimiento del Rey; sabrán, sin duda, todo el lance. vamos a hablar con ellos.

TODOS

Sí, vamos.

ESCENA III

El teatro representa el cuarto de un oficial de guardia; se verá
a un lado el tabladillo y el colchón, y en medio habrá una mesa
y sillas de paja. Entran en la escena DON ALVARO y el CAPITAN

CAPITÁN

Como la mayor desgracia
Juzgo, amigo y compañero,
El estar hoy de servicio
Para ser alcaide vuestro.
Resignación, don Fadrique,
Tomad una silla os ruego.
        (Se sienta don Álvaro.)
Y mientras yo esté de guardia
No miréis este aposento
Como prisión... Mas es fuerza,
Pues orden precisa tengo,
Que dos centinelas ponga
De vista...

DON ÁLVARO

                Yo os agradezco,
Señor, tal cortesanía.
Cumplid, cumplid al momento
Con lo que os tienen mandado,
Y los centinelas luego
Poned... Aunque más seguro
Que de hombres y armas en medio
Está el oficial de honor
Bajo su palabra... ¡Oh cielos!

*(Coloca el Capitán dos centinelas; un soldado entra
luces, y se sientan el Capitán y don Álvaro junto
a la mesa.)*

Y en Veletri, ¿qué se dice?
¿Mil necedades diversas
Se esparcirán, procurando
Explicar mi suerte adversa?

CAPITÁN

En Veletri, ciertamente,
No se habla de otra materia.
Y aunque de aquí separarme
No puedo, como está llena
Toda la plaza de gente,
Que gran interés demuestra
Por vos, a algunos he hablado...

DON ÁLVARO

Y bien, ¿qué dicen?, ¿qué piensan?

CAPITÁN

La amistad íntima todos,
Que os enlazaba, recuerdan,
Con don Félix... Y las causas
Que la hicieron tan estrecha,
Y todos dicen...

DON ÁLVARO

Entiendo.
Que soy un monstruo, una fiera.
Que a la obligación más santa
He faltado. Que mi ciega
Furia ha dado muerte a un hombre,
A cuyo arrojo y nobleza
Debí la vida en el campo;
Y a cuya nimia asistencia
Y esmero debí mi cura,
Dentro de su casa mesma.
Al que como tierno hermano...

¡Como hermano! ¡Suerte horrenda!
¿Como hermano?... ¡Debió serlo!
Yace convertido en tierra
Por no serlo... ¡Y yo respiro!
¿Y aún el suelo me sustenta?...
¡Ay!, ¡ay de mí!

*(Se da una palmada en la frente, y queda en la
mayor agitación.)*

CAPITÁN

Perdonadme.
Si con mis noticias necias...

DON ÁLVARO

Yo lo amaba... ¡Ah, cuál me aprieta
El corazón una mano
De hierro ardiente! La fuerza
Me falta... ¡Oh Dios! ¡Qué bizarro,
Con qué noble gentileza
Entre un diluvio de balas
Se arrojó, viéndome en tierra,
A salvarme de la muerte!
¡Con cuánto afán y terneza
Pasó las noches y días
Sentado a mi cabecera! *(Pausa.)*

CAPITÁN

Anuló sin duda tales
Servicios con un agravio.
Diz que era un poco altanero,
Picajoso, temerario;
Y un hombre cual vos...

DON ÁLVARO

No, amigo;
Cuanto de él se diga es falso.

Era un digno caballero
De pensamientos muy altos.
Retóme con razón harta,
Y yo también le he matado
Con razón. Sí, si aún viviera,
Fuéramos de nuevo al campo,
Él a procurar mi muerte,
Yo a esforzarme por matarlo.
O él o yo sólo en el mundo.
Pero imposible en él ambos.

CAPITÁN

Calmaos, señor don Fadrique:
Aún no estáis del todo bueno
De vuestras nobles heridas,
Y que os pongáis malo temo.

DON ÁLVARO

¿Por qué no quedé en el campo
De batalla como bueno?
Con honra acabado hubiera,
Y ahora, oh Dios..., la muerte anhelo,
Y la tendré..., pero ¿cómo?
En un patíbulo horrendo,
Por infractor de las leyes,
De horror o de burla objeto.

CAPITÁN

¿Qué decís?... No hemos llegado,
Señor, a tan duro extremo;
Aún puede haber circunstancias
Que justifiquen el duelo,
Y entonces...

DON ÁLVARO

      No, no hay ninguna.
Soy homicida, soy reo.
Mas, según tengo entendido.

CAPITÁN

(Ahora de mi regimiento
Me lo ha dicho el Ayudante),
Los generales, de acuerdo
Con todos los coroneles,
Han ido sin perder tiempo
A echarse a los pies del Rey,
Que es benigno, aunque severo,
Para pedirle...

DON ÁLVARO
(Conmovido.)

¿De veras?
Con el alma lo agradezco,
Y el interés de los jefes
Me honra y me confunde a un tiempo
Pero, ¿por qué han de empeñarse
Militares tan excelsos,
En que una excepción se haga
A mi favor de un decreto
Sabio, de una ley tan justa,
A que yo falte el primero?
Sirva mi pronto castigo
Para saludable ejemplo.
¡Muerte, es mi destino, muerte,
Porque la muerte merezco,
Porque es para mí la vida
Aborrecible tormento!
Mas ¡ay de mí sin perdón!
¿Cuál es la muerte que espero?
La del criminal, sin honra,
¡¡En un patíbulo!! ¡¡Cielos!!

(Se oye un redoble.)

ESCENA IV

LOS MISMOS Y EL SARGENTO

SARGENTO

Mi capitán...

CAPITÁN

¿Qué se ofrece?

SARGENTO

El mayor...

CAPITÁN

Voy al momento. *(Vase.)*

ESCENA V

DON ÁLVARO

¡Leonor! ¡Leonor! Si existes, desdichada,
¡Oh, qué golpe te espera,
Cuando la nueva fiera
Te llegue adonde vives retirada,
De que la misma mano,
La mano ¡ay triste! mía,
Que te privó de padre y de alegría,
¡Acaba de privarte de un hermano!
No; te ha librado, sí, de un enemigo,
De un verdugo feroz; que por castigo
De que diste en tu pecho
Acogida a mi amor, verlo deshecho,

Y roto, y palpitante,
Preparaba anhelante,
Y con su brazo mismo,
De su venganza hundirte en el abismo.
¡Respira, sí, respira,
Que libre estás de su tremenda ira! *(Pausa.)*
¡Ay de mí! Tú vivías,
Y yo, lejos de ti, muerte buscaba,
Y sin remedio las desgracias mías
Despechado juzgaba;
Mas tú vives, ¡mi cielo!
Y aún aguardo un instante de consuelo.
¿Y qué espero? ¡Infeliz! De sangre un río,
Que yo no derramé, serpenteaba
Entre los dos; mas ahora el brazo mío
En mar inmenso de tornarlo acaba.
¡Hora de maldición, aciaga hora
Fue aquella en que te vi la vez primera
En el soberbio templo de Sevilla,
Como un ángel bajado de la esfera
En donde el trono del Eterno brilla!
¡Qué porvenir dichoso
Vio mi imaginación por un momento,
Que huyó tan presuroso
Como el soplar de repentino viento
Las torres de oro, y montes argentinos,
Y·colosos y fúlgidos follajes
Que forman los celajes
En otoño a los rayos matutinos! *(Pausa.)*
¡Mas en qué espacio vago, en qué regiones
Fantásticas! ¿Qué espero?
¡Dentro de breves horas,
Lejos de las mundanas afecciones,
Vanas y engañadoras,
Iré de Dios al tribunal severo! *(Pausa.)*
¿Y mis padres?... Mis padres desdichados
Aún yacen encerrados
En la prisión horrenda de un castillo...
Cuando con mis hazañas y proezas

Pensaba restaurar su nombre y brillo
Y rescatar sus míseras cabezas,
No me espera más suerte
Que, como criminal, infame muerte.

(Queda sumergido en el despecho.)

ESCENA VI

DON ÁLVARO Y EL CAPITAN

CAPITÁN

¡Hola, amigo y compañero!...

DON ÁLVARO

¿Vais a darme alguna nueva?
¿Para cuándo convocado
Está el Consejo de guerra?

CAPITÁN

Dicen que esta noche misma
Debe reunirse a gran priesa...
De hierro, de hierro tiene
El rey Carlos la cabeza.

DON ÁLVARO

¡Es un valiente soldado!
¡Es un gran rey!

CAPITÁN

      Mas pudiera
No ser tan tenaz y duro;
Pues nadie, nadie lo apea
En diciendo no.

DON ÁLVARO

En los reyes
La debilidad es mengua.

CAPITÁN

Los jefes y generales
Que hoy en Veletri se encuentran,
Han estado en cuerpo a verle
Y a rogarle suspendiera
La ley en favor de un hombre
Que tantos méritos cuenta...
Y todo sin fruto. Carlos,
Aún más duro que una peña,
Ha dicho que no, resuelto,
Y que la ley se obedezca;
Mandando que en esta noche
Falle el Consejo de guerra.
Mas aún quedan esperanzas:
Pueda ser que el fallo sea...

DON ÁLVARO

Según la ley. No hay remedio;
Injusta la causa fuera.

CAPITÁN

Pero ¡qué pena tan dura,
Tan extraña, tan violenta!...

DON ÁLVARO

La muerte. Como cristiano
La sufriré; no me aterra.
Dármela Dios no ha querido,
Con honra y con fama eterna,
En el campo de batalla,
Y me la da con afrenta

En un patíbulo infame...
Humilde la aguardo... Venga.

CAPITÁN

No será acaso... Aún veremos...
Puede que se arme una gresca...
El ejército os adora...
Su agitación es extrema,
Y tal vez un alboroto...

DON ÁLVARO

Basta... ¿Qué decís? ¿Tal piensa
Quien de militar blasona?
¿El ejército pudiera
Faltar a la disciplina,
Ni yo deber mi cabeza
A una rebelión?... No, nunca;
Que jamás, jamás suceda
Tal desorden por mi causa.

CAPITÁN

¡La ley es atroz, horrenda!

DON ÁLVARO

Yo la tengo por muy justa;
Forzoso remediar era
Un abuso...

(Se oye un tambor y dos tiros.)

CAPITÁN

¿Qué?

DON ÁLVARO

¿Escuchásteis?

CAPITÁN

El desorden ya comienza.

(Se oye gran ruido; tiros, confusión y cañonazos, que van en aumento hasta el fin del acto.)

ESCENA VII

SARGENTO

¡Los alemanes! ¡Los enemigos en Veletri! ¡Estamos sorprendidos!

VOCES DENTRO

¡A las armas! ¡A las armas! *(Sale el oficial un instante, se aumenta el ruido, y vuelve con la espada desnuda.)*

CAPITÁN

Don Fadrique, escapad; no puedo guardar más vuestra persona; andan los nuestros y los imperiales mezclados por las calles; arde el palacio del Rey; hay una confusión espantosa; tomad vuestro partido. Vamos, hijos, a abrirnos paso como valientes o a morir como españoles. *(Vanse el Capitán, los centinelas y el Sargento.)*

ESCENA VIII

DON ÁLVARO

Denme una espada: volaré a la muerte,
Y si es vivir mi suerte,
Y no la logro en tanto desconcierto,
Yo os hago, eterno Dios, voto profundo
De renunciar al mundo
Y de acabar mi vida en un desierto.

JORNADA QUINTA

La escena es en el convento de los Ángeles y sus alrededores.

ESCENA PRIMERA

El teatro representa lo interior del claustro bajo del convento de Los Angeles, que debe ser una galería mezquina, alrededor de un patiecillo con naranjos, adelfas y jazmines. A la izquierda se verá la portería; a la derecha, la escalera. Debe de ser decoración corta, para que detrás estén las otras por su orden.—Aparecen el PADRE GUARDIAN paseándose gravemente por el proscenio y leyendo en su breviario; el HERMANO MELITON sin manto, arremangado y repartiendo con un cucharón, de un gran caldero, la sopa, al VIEJO, al COJO, al MANCO, a la MUJER y al grupo de pobres que estará apiñado en la portería

HERMANO MELITÓN

Vamos, silencio, y orden, que no están en ningún figón.

MUJER

Padre, ¡a mí, a mí!

VIEJO

¿Cuántas raciones quiere, Marica?

COJO

Ya le han dado tres, y no es regular...

HERMANO MELITÓN

Callen, y sean humildes; que me duele la cabeza.

MANCO

Marica ha tomado tres raciones.

MUJER

Y aún voy a tomar cuatro, que tengo seis chiquillos.

HERMANO MELITÓN

¿Y por qué tienes seis chiquillos?... Sea su alma.

MUJER

Porque me los ha dado Dios.

HERMANO MELITÓN

Sí... Dios... Dios... No los tendría si se pasara las noches como yo, rezando el rosario, o dándose disciplina.

PADRE GUARDIÁN *(Con gravedad.)*

¡Hermano Melitón!... ¡Hermano Melitón!... ¡Válgame Dios!

HERMANO MELITÓN

Padre nuestro, si estos desarrapados tienen una fecundidad que asombra.

COJO

¡A mí, padre Melitón, que tengo ahí fuera a mi madre baldada!

¡Hola!... ¿También ha venido hoy la bruja? Pues no nos falta nada.

PADRE GUARDIÁN

¡Hermano Melitón!...

MUJER

Mis cuatro raciones.

MANCO

A mí antes.

VIEJO

A mí.

TODOS

A mí, a mí...

HERMANO MELITÓN

Váyanse noramala, y tengan modo... ¿A que les doy con el cucharón?...

PADRE GUARDIÁN

¡Caridad, hermano, caridad, que son hijos de Dios!

HERMANO MELITÓN

(*Sofocado.*) Tomen, y váyanse...

MUJER

Cuando nos daba la guiropa el padre Rafael lo hacía con más modo y con más temor de Dios.

HERMANO MELITÓN

Pues llamen al padre Rafael..., que no los pudo aguantar ni una semana.

VIEJO

Hermano, ¿me quiere dar otro poco de bazofia?...

HERMANO MELITÓN

¡Galopo!... ¿Bazofia llama a la gracia de Dios?...

PADRE GUARDIÁN

Caridad y paciencia, hermano Melitón; harto trabajo tienen los pobrecitos.

HERMANO MELITÓN

Quisiera yo ver a Vuestra Reverendísima lidiar con ellos un día, y otro.

COJO

El padre Rafael...

HERMANO MELITÓN

No me jeringuen con el padre Rafael... y... tomen las arrebañaduras *(Les reparte los restos del caldero y lo echa a rodar de una patada),* y a comerlo al sol.

MUJER

Si el padre Rafael quisiera bajar a decirle los Evangelios a mi niño, que tiene sisiones...

HERMANO MELITÓN

Tráigalo mañana, cuando salga a decir misa el padre Rafael.

160

Si el padre Rafael quisiera venir a la villa a curar a mi compañero, que se ha caído...

HERMANO MELITÓN

Ahora no es hora de ir a hacer milagros; por la mañanita, por la mañanita, con la fresca.

MANCO

Si el padre Rafael...

HERMANO MELITÓN

(Fuera de sí.) Ea, ea, fuera... Al sol... ¡Cómo cunde la semilla de los perdidos! Horrio..., ¡afuera!

(Los va echando con el cucharón y cierra la portería, volviendo luego muy sofocado y cansado donde está el Guardián.)

ESCENA II

El PADRE GUARDIAN y el HERMANO MELITON

HERMANO MELITÓN

No hay paciencia que baste, padre nuestro.

PADRE GUARDIÁN

Me parece, hermano Melitón, que no os ha dotado el Señor con gran cantidad de ella. Considere que en dar de comer a los pobres de Dios desempeña un ejercicio del que se honraría un ángel.

Yo quisiera ver a un ángel en mi lugar siquiera tres días... Puede ser que de cada guantada...

PADRE GUARDIÁN

No diga disparates.

HERMANO MELITÓN

Pues sí es verdad. Yo lo hago con mucho gusto, eso es otra cosa. Y bendito sea el Señor, que nos da bastante para que nuestras sobras sirvan de sustento a los pobres. Pero es preciso enseñarles los dientes. Viene entre ellos mucho pillo... Los que están tullidos y viejos, vengan enhorabuena, y les daré hasta mi ración, el día que no tenga mucha hambre; pero jastiales que pueden derribar a puñadas un castillo, váyanse a trabajar. Y hay algunos tan insolentes... Hasta llaman bazofia a la gracia de Dios... Lo mismo que restregarme siempre por los hocicos al padre Rafael; toma si nos daba más, daca si tenía mejor modo, torna si era más caritativo, vuelta si no metía tanta prisa. Pues a fe, a fe, que el bendito padre Rafael, a los ocho días se hartó de pobres y de guiropa y se metió en su celda, y aquí quedó el hermano Melitón. Y por cierto, no sé por qué esta canalla dice que tengo mal genio. pues el padre Rafael también tiene su piedra en el rollo, y sus prontos, y sus ratos de murria, como cada cual.

PADRE GUARDIÁN

Basta, hermano, basta. El padre Rafael no podía, teniendo que cuidar del altar y que asistir al coro, entender en el repartimiento de la limosna, ni éste ha sido nunca encargo de un religioso antiguo, sino incumbencia del portero... ¿Me entiende...? Y, hermano Melitón, tenga más humildad y no se ofenda cuando prefieran al padre Rafael, que es un siervo de Dios a quien todos debemos imitar.

Yo no me ofendo de que prefieran al padre Rafael. Lo que digo es que tiene su genio. Y a mí me quiere mucho, padre nuestro, y echamos nuestras manos de conversación. Pero tiene de cuando en cuando unas salidas, y se da unas palmadas en la frente..., y habla solo, y hace visajes como si viera algún espíritu.

Las penitencias, los ayunos ...

Tiene cosas muy raras. El otro día estaba cavando en la huerta, y tan pálido y tan desemejado, que le dije en broma: Padre, parece un mulato; y me echó una mirada, y cerró el puño, y aun lo enarboló de modo que parecía que me iba a tragar. Pero se contuvo, se echó la capucha y desapareció; digo, se marchó de allí a buen paso.

Ya.

Pues el día que fue a Hornachuelos a auxiliar al alcalde, cuando estaba en toda su furia aquella tormenta, en que nos cayó la centella sobre el campanario, al verlo yo salir sin cuidarse del aguacero ni de los truenos que hacían temblar estas montañas, le dije por broma que parecía entre los riscos un indio bravo, y me dio un berrido que me aturulló... Y como vino al convento de un modo tan raro, y nadie lo viene nunca a ver, ni sabemos dónde nació.

Hermano, no haga juicios temerarios. Nada tiene de particular eso, ni el modo con que vino a esta casa el padre Rafael es tan raro como dice. El Padre limosnero, que venía de Palma, se le encontró muy malherido en los encinares de Escalona, junto al camino de Sevilla, víctima, sin duda, de los salteadores, que nunca faltan en semejante sitio, y lo trajo al convento, donde Dios, sin duda, le inspiró la vocación de tomar nuestro santo escapulario, como lo verificó en cuanto se vio restablecido, y pronto hará cuatro años. Esto no tiene nada de particular.

HERMANO MELITÓN

Ya, eso sí... Pero, la verdad, siempre que lo miro me acuerdo de aquello que Vuestra reverendísima nos ha contado muchas veces, y también se nos ha leído en el refectorio, de cuando se hizo fraile de nuestra orden el demonio, y que estuvo allá en el convento algunos meses. Y se me ocurre si el padre Rafael será alguna cosa así...; pues tiene unos repentes, una fuerza y un mirar de ojos...

PADRE GUARDIÁN

Es cierto hermano mío; así consta de nuestras crónicas y está consignado en nuestros archivos. Pero, además de que rara vez se repiten tales milagros, entonces el Guardián de aquel convento en que ocurrió el prodigio tuvo una revelación que le previno de todo. Y lo que es yo, hermano mío, no he tenido hasta ahora ninguna. Con que tranquilícese y no caiga en la tentación de sospechar del padre Rafael.

HERMANO MELITÓN

Yo nada sospecho.

Le aseguro que no he tenido revelación.

Ya, pues entonces... Pero tiene muchas rarezas
el padre Rafael.

Los desengaños del mundo, las atribulaciones... Y
luego el retiro con que vive, las continuas penitencias... *(Suena la campanilla de la portería.)* Vaya a
ver quién llama.

¿A que son otra vez los pobres? Pues ya está
limpio el caldero... *(Suena otra vez la campanilla.)*
No hay más limosnas; se acabó por hoy, se acabó.
(Suena otra vez la campanilla.)

Abra, hermano, abra la puerta. *(Vase.) (Abre el
lego la portería.)*

ESCENA III

El HERMANO MELITON y DON ALFONSO, vestido de monte,
que sale embozado

DON ALFONSO

(Con muy mal modo y sin desembozarse.)

De esperar me he puesto cano.
¿Sois vos por dicha el portero?

HERMANO MELITÓN

Tonto es este caballero. *(Aparte.)*
Pues que abrí la puerta es llano. *(Alto.)*
Y aunque de portero estoy,
No me busque las cosquillas,
Que padre de campanillas
Con olor de santo soy.

DON ALFONSO

¿El padre Rafael está?
Tengo que verme con él.

HERMANO MELITÓN

¡Otro padre Rafael! *(Aparte.)*
Amostazándome va.

DON ALFONSO

Responda pronto.

HERMANO MELITÓN
(Con miedo.)

Al momento.
Padres Rafaeles... hay dos.
¿Con cuál queréis hablar vos?

DON ALFONSO

Para mí más que haya ciento.
El padre Rafael... *(Muy enfadado.)*

HERMANO MELITÓN

¿El gordo?
¿El natural de Porcuna?
No os oirá cosa ninguna,
¿Que es como una tapia sordo?

Y desde el pasado invierno
En la cama está tullido;
Noventa años ha cumplido.
El otro es...

DON ALFONSO

El del infierno.

HERMANO MELITÓN

Pues ahora caigo en quién es
El alto, adusto, moreno,
Ojos vivos, rostro lleno...

HERMANO MELITÓN

Llevadme a su celda, pues.

HERMANO MELITÓN

Daréle aviso primero,
Porque si está en oración,
Disturbarle no es razón...
y ¿quién diré?

DON ALFONSO

Un caballero.

HERMANO MELITÓN
*(Yéndose hacia la escalera muy lentamente, dice
aparte.)*

¡Caramba!... ¡Qué raro gesto!
Me da malísima espina,
Y me huele a chamusquina...

DON ALFONSO
(Muy irritado.)

¿Qué aguarda? Subamos presto.

(El hermano se asusta y sube la escalera, y detrás de él don Alfonso.)

ESCENA IV

El teatro representa la celda de un franciscano. Una tarima con una estera a un lado; un vasar con una jarra y vasos; un estante con libros, estampas, disciplinas y cilicios colgados. Una especie de oratorio pobre, y en su mesa una calavera; DON ALVARO, vestido de fraile franciscano, aparece de rodillas en profunda oración mental. DON ALVARO y el HERMANO MELITON

HERMANO MELITÓN

¡Padre, Padre! *(Dentro.)*

DON ÁLVARO
(Levantándose.)

¿Qué se ofrece?
Entre, hermano Melitón.

HERMANO MELITÓN

Padre, aquí os busca un matón. *(Entra.)*
Que muy ternejal parece.

DON ÁLVARO
(Receloso.)

¿Quién, hermano?... ¿A mí?... ¿Su nombre?

HERMANO MELITÓN

Lo ignoro; es muy altanero
Dice que es un caballero,

Y me parece un mal hombre.
Él muy bien portado viene,
Y en un andaluz rocín;
Pero un genio muy ruin,
Y un tono muy duro tiene.

DON ÁLVARO

Entre al momento quien sea.

HERMANO MELITÓN

No es un pecador contrito.
Se quedará tamañito *(Aparte.)*
Al instante que lo vea. *(Vase.)*

ESCENA V

DON ÁLVARO

¿Quién podrá ser?... No lo acierto.
Nadie, en estos cuatro años,
Que huyendo de los engaños
Del mundo, habito el desierto.
Con este sayal cubierto,
Ha mi quietud disturbado.
¿Y hoy un caballero osado
A mi celda se aproxima?
¿Me traerá nuevas de Lima?
¡Santo Dios!... ¿Qué he recordado?

ESCENA VI

DON ALFONSO

¿Me conocéis?

DON ÁLVARO

No, señor.

DON ALFONSO

¿No veis en mis ademanes
Rastro alguno que os recuerde
De otro tiempo y de otros males?
¿No palpita vuestro pecho,
No se hiela vuestra sangre,
No se anonada y confunde
Vuestro corazón cobarde
Con mi presencia?... O, por dicha,
¿Es tan sincero, es tan grande,
Tal vuestro arrepentimiento,
Que ya no se acuerda el padre
Rafael, de aquel indiano
Don Álvaro, del constante
Azote de una familia
Que tanto en el mundo vale?
¿Tembláis y bajáis los ojos?
Alzadlos, pues, y miradme.
(Descubriéndose el rostro y mostrándoselo.)

DON ÁLVARO

¡Oh Dios!... ¡Qué veo!... ¡Dios mío!
¿Pueden mis ojos burlarme?

170

¡Del Marqués de Calatrava
Viendo estoy la viva imagen!

DON ALFONSO

Basta, que está dicho todo.
De mi hermano y de mi padre
Me está pidiendo venganza
En altas voces la sangre.
Cinco años ha que recorro,
Con dilatados viajes,
El mundo para buscaros;
Y aunque ha sido todo en balde,
El cielo (que nunca impunes
Deja las atrocidades
De un monstruo, de un asesino,
De un seductor, de un infame)
Por un imprevisto acaso
Quiso por fin indicarme
El asilo donde a salvo
De mi furor os juzgásteis
Fuera el mataros inerme
Indigno de mi linaje.
Fuisteis valiente, robusto
Aún estais para un combate;
Armas no tenéis, lo veo;
Yo dos espadas iguales
Traigo conmigo: son éstas;
   (Se desemboza y saca dos espadas.)
Elegid la que os agrade.

DON ÁLVARO
(Con gran calma pero sin orgullo.)

Entiendo, joven, entiendo,
Sin que escucharos me pasme,
Porque he vivido en el mundo
Y apurado sus afanes.

171

De los vanos pensamientos
Que en este punto en vos arden,
También el juguete he sido;
Quiera el Señor perdonarme.
Víctima de mis pasiones,
Conozco todo el alcance
De su influjo, y compadezco
Al mortal a quien combaten.
Mas ya sus borrascas miro,
Como el náufrago que sale
Por un milagro a la orilla,
Y jamás torna a embarcarse.
Este sayal que me viste,
Esta celda miserable,
Este yermo, donde acaso
Dios por vuestro bien os trae,
Desengaños os presentan,
Para calmaros bastantes:
Y más os responden mudos
Que pueden labios mortales.
Aquí de mis muchas culpas,
Que son ¡ay de mí! harto grandes,
Pido a Dios misericordia;
Que la consiga dejadme.

DON ALFONSO

¿Dejaros?... ¿Quién?... ¿Yo dejaros
Sin ser vuestra sangre impura
Vertida por esta espada
Que arde en mi mano desnuda?
Pues esta celda, el desierto,
Ese sayo, esa capucha,
Ni a un vil hipócrita guardan,
Ni a un cobarde infame escudan.

DON ÁLVARO

¿Qué decís?... ¡Ah!... *(Furioso).*
(Reportándose.) ¡No, Dios mío!...

172

En la garganta se anuda
Mi lengua... ¡Señor!... esfuerzo
Me da vuestra santa ayuda.
Los insultos y amenazas *(Repuesto.)*
Que vuestros labios pronuncian,
No tienen para conmigo
Poder ni fuerza ninguna.
Antes, como caballero,
Supe vengar las injurias;
Hoy, humilde religioso,
Darles perdón y disculpa.
Pues veis cuál es ya mi estado.
Y. si sois sagaz, la lucha
Que conmigo estoy sufriendo,
Templad vuestra saña injusta.
Respetad este vestido,
Compadeced mis angustias,
Y perdonad generoso
Ofensas que están en duda.

                    (Con gran conmoción.)
¡Sí, hermano, hermano!

                    DON ALFONSO

                    ¿Qué nombre
Osais pronunciar?...

                    DON ÁLVARO

                    ¡Ah!...

                    DON ALFONSO

                    Una
Sola hermana me dejásteis
Perdida y sin honra... ¡Oh, furia!

                    DON ÁLVARO

¡Mi Leonor! ¡Ah! No sin honra,
Un religioso os lo jura.

¡Leonor... ¡ay! la que absorbía
Toda mi existencia junta! *(En delirio.)*
La que en mi pecho por siempre...
Por siempre, sí, sí... que aún dura...
Una pasión... Y qué, ¿vive?
¿Sabeis vos noticias suyas?...
Decid que me ama y matadme.
Decidme... ¡Oh, Dios!... ¿Me rehúsa

(Aterrado.)

Vuestra gracia sus auxilios?
¿De nuevo el triunfo asegura
El infierno, y se desploma
Mi alma en su cima profunda?
¡Misericordia!... Y vos, hombre
O ilusión, ¿sois, por ventura,
Un tentador que renueva
Mis criminales angustias
Para perderme?... ¡Dios mío!

DON ALFONSO (Resuelto)

De estas dos espadas, una
Tomad, don Álvaro, luego;
Tomad, que en vano procura
Vuestra infame cobardía
Darle treguas a mi furia.
Tomad...

DON ÁLVARO
(Retirándose.)

No, que aún fortaleza
Para resistir la lucha
De las mundanas pasiones
Me da Dios con bondad suma.
¡Ah! Si mis remordimientos,
Mis lágrimas, mis confusas
Palabras no son bastante
Para aplacaros; si escucha

Mi arrepentimiento humilde
Sin caridad vuestra furia,

(*Arrodíllase.*)

Prosternado a vuestras plantas
Vedme, cual persona alguna
Jamás me vio...

DON ALFONSO
(*Con desprecio.*)

Un caballero
No hace tal infamia nunca.
Quien sois bien claro publica
Vuestra actitud, y la inmunda
Mancha que hay en vuestro escudo.

DON ÁLVARO
(*Levantándose con furor.*)

¿Mancha?... y ¿cuál?..., ¿cuál?...

DON ALFONSO

¿Os asusta?

DON ÁLVARO

Mi escudo es como el sol limpio,
Como el sol.

DON ALFONSO

¿Y no lo anubla
Ningún cuartel de mulato?
¿De sangre mezclada, impura?

DON ÁLVARO
(Fuera de sí.)

¡Vos mentís, mentís infame!
Venga el acero; mi furia
(Toca el pomo de una de las espadas.)
Os arrancará la lengua.
Que mi clara estirpe insulta,
Vamos.

DON ALFONSO

Vamos.

DON ÁLVARO
(Reportándose.)

No..., no triunfa
Tampoco con esta industria
De mi constancia el infierno.
Retiraos, señor.

DON ALFONSO

¿Te burlas
De mí inicuo? Pues cobarde
Combatir conmigo excusas,
no excusarás mi venganza.
Me basta la afrenta tuya:
Toma. *(Le da una bofetada.)*

DON ÁLVARO
(Furioso y recobrando toda su energía.)

¿Qué hiciste?... ¡¡Insensato!!
Ya tu sentencia es segura:
Hora es de muerte, de muerte.
(Furioso.)
El infierno me confunda.
(Salen ambos precipitados.)

ESCENA VII

El teatro representa el mismo claustro bajo que en las primeras escenas de esta jornada. El HERMANO MELITON saldrá por un lado y como bajando la escalera; DON ALVARO y DON ALFONSO, embozado en su capa, con gran precipitación

HERMANO MELITÓN

(Saliéndole al paso.) ¿Adónde bueno?

DON ÁLVARO

(Con voz terrible.) Abra la puerta.

HERMANO MELITÓN

La tarde está tempestuosa, va a llover a mares.

DON ÁLVARO

Abra la puerta.

HERMANO MELITÓN

(Yendo hacia la puerta.) ¡Jesús! Hoy estamos de marea alta. Ya voy... ¿Quiere que le acompañe?... ¿Hay algún enfermo de peligro en el cortijo?...

DON ÁLVARO

La puerta, pronto.

HERMANO MELITÓN

(Abriendo la puerta.) ¿Va el padre a Hornachuelos?

(Saliendo con don Alfonso.) Voy al infierno.
(Queda el hermano Melitón asustado.)

ESCENA VII

HERMANO MELITÓN

¡Al infierno!... ¡Buen viaje!
También que era del infierno
Dijo, para mi gobierno,
Aquel nuevo personaje.
¡Jesús, y qué caras tan...!
Me temo que mis sospechas
Han de quedar satisfechas.
Voy a ver por dónde van.

(Se acerca a la portería y dice como admirado):

¡Mi gran padre San Francisco
Me valga!... Van por la sierra,
Sin tocar con el pie en tierra,
Saltando de risco en risco.
Y el jaco los sigue en pos
Como un perrillo faldero.
Calla... hacia el despeñadero
De la ermita van los dos.

(Asomándose a la puerta con gran afán; a voces.)

¡Hola..., hermanos..., hola!... ¡Digo!...
No lleguen al paredón,
Miren que hay excomunión,
Que Dios les va a dar castigo.

(Vuelve a la escena.)

No me oyen, vano es gritar,
Demonios son, es patente.
Con el santo penitente

Sin duda van a cargar.
¡El Padre, el Padre Rafael!...
Si quien piensa mal, acierta.
Atracaré bien la puerta...
Pues tengo un miedo cruel.

(Cierra la puerta.)

Un olorcillo han dejado
De azufre... Voy a tocar
Las campanas.

*(Vase por un lado, y luego vuelve por otro como
con gran miedo.)*

Avisar
Será mejor al prelado.
Sepa que en esta ocasión,
Aunque refunfuñe luego,
No el padre guardián, el lego
Tuvo la revelación. *(Vase.)*

ESCENA IX

El teatro representa un valle rodeado de riscos inaccesibles y de
malezas, atravesado por un arroyuelo. Sobre un peñasco accesible
con dificultad, y colocado al fondo, habrá una medio gruta, medio
ermita, con puerta practicable, y una campana que pueda sonar y
tocarse desde dentro; el cielo representará el ponerse el sol de un
día borrascoso, se irá oscureciendo lentamente la escena y aumen-
tándose los truenos y relámpagos; DON ALVARO y DON ALFONSO
salen por un lado

DON ALFONSO

De aquí no hemos de pasar.

DON ÁLVARO

No, que tras de estos tapiales,
Bien sin ser vistos, podemos
Terminar nuestro combate.
Y aunque en hollar este sitio

179

Cometo un crimen muy grande,
Hoy es de crímenes día,
Y todos han de apurarse.
De uno de los dos la tumba
Se está abriendo en este instante.

DON ALFONSO

Pues no perdamos más tiempo,
Y que las espadas hablen.

DON ÁLVARO

Vamos: mas antes es fuerza
Que un gran secreto os declare,
Pues que de uno de nosotros
Es la muerte irrevocable:
Y si yo caigo es forzoso
Que sepáis en este trance
A quién habéis dado muerte,
Que puede ser importante.

DON ALFONSO

Vuestro secreto no ignoro.
Y era el mejor de mis planes
(Para la sed de venganza
Saciar que en mis venas arde),
Después de heriros de muerte
Daros noticias tan grandes,
Tan impensadas y alegres,
De tan feliz desenlace,
Que al despecho de saberlas,
De la tumba en los umbrales,
Cuando no hubiese remedio,
Cuando todo fuera en balde,
El fin espantoso os diera
Digno de vuestras maldades.

DON ÁLVARO

Hombre, fantasma o demonio,
Que ha tomado humana carne
Para hundirme en los infiernos,
Para perderme..., ¿qué sabes?...

DON ALFONSO

Corrí el Nuevo Mundo... ¿Tiemblas?...
Vengo de Lima..., esto baste.

DON ÁLVARO

No basta, que es imposible
Que saber quien soy lograses.

DON ALFONSO

De aquel Virrey fementido
Que (pensando aprovecharse
De los trastornos y guerras,
De los disturbios y males
Que la sucesión al trono
Trajo a España) formó planes
De tornar su virreinato
En imperio, y coronarse,
Casando con la heredera
Última de aquel linaje
De los Incas (que en lo antiguo,
Del mar del Sur a los Andes
Fueron los emperadores),
Eres hijo. De tu padre
Las traiciones descubiertas,
Aun a tiempo de evitarse,
Con su esposa, en cuyo seno
Eras tú ya peso grave,
Huyó a los montes, alzando
Entre los indios salvajes
De traición y rebeldía
El sacrílego estandarte.

No los ayudó fortuna,
Pues los condujo a la cárcel
De Lima, do tú naciste...

(Hace extremos de indignación y sorpresa
Oye... espera hasta que acabe
El triunfo del rey Felipe
Y su clemencia notable,
Suspendieron la cuchilla
que ya amagaba a tus padres;
Y en una prisión perpetua
Convirtió el suplicio infame,
Tú entre los indios creciste,
Como fiera te educaste,
Y viniste ya mancebo
Con oro y con favor grande,
A buscar completo indulto
Para tus traidores padres.
Mas no, que viniste sólo
Para asesinar cobarde,
Para seducir inicuo.
Y para que yo te mate.

DON ÁLVARO *(Despechado.)*

Vamos a probarlo al punto.

DON ALFONSO

Que has de apurar, ¡vive el cielo!
Hasta las heces el cáliz.
Y si, por ser mi destino,
Consiguieses el matarme,
Quiero allá en tu aleve pecho
Todo un infierno dejarte.
El Rey, benéfico, acaba
De perdonar a tus padres.
Ya están libres y repuestos

En honras y dignidades.
La gracia alcanzó tu tío,
Que goza favor notable.
Y andan todos tus parientes
Afanados por buscarte
Para que tenga heredero...

DON ÁLVARO

(Muy turbado y fuera de sí.)

Ya me habéis dicho bastante...
No sé dónde estoy, ¡oh cielos!...
Si es cierto, si son verdades
  (Enternecido y confuso.)
¡Todo puede repararse!
Si Leonor existe, todo:
¿Veis lo ilustre de mi sangre?...
¿Veis?...

DON ALFONSO

  Con sumo gozo veo
Que estáis ciego y delirante.
¿Qué es reparación?... Del mundo
Amor, gloria, dignidades
No son para vos... Los votos
Religiosos e inmutables
Que os ligan a este desierto,
Esa capucha, ese traje,
Capucha y traje que encubren
A un desertor, que al infame
Suplicio escapó en Italia,
De todo incapaz te hacen.
Oye cuál truena indignado. *(Truena.)*
Contra ti el cielo... Esta tarde
Completísimo es mi triunfo.
Un sol hermoso y radiante
Te he descubierto, y de un soplo
Luego he sabido apagarle.

DON ÁLVARO
(Volviendo al furor.)

¿Eres monstruo del infierno,
Prodigio de atrocidades?

DON ALFONSO

Soy un hombre rencoroso
Que tomar venganza sabe.
Y porque sea más completa,
Te digo que no te jactes
De noble ...eres un mestizo,
Fruto de traiciones...

DON ÁLVARO
(En el extremo de la desesperación.)

          Baste.
¡Muerte y exterminio! ¡Muerte
Para los dos! Yo matarme
Sabré, en teniendo el consuelo
De beber tu inicua sangre.
*(Toma la espada, combaten, y cae herido
don Alfonso.)*

DON ALFONSO

Ya lo conseguiste... ¡Dios mío! ¡Confesión! Soy
cristiano... Perdonadme... salva mi alma...

DON ÁLVARO
(Suelta la espada y queda como petrificado.)

¡Cielos!... ¡Dios mío! ¡Santa madre de los Ángeles!... ¡Mis manos tintas en sangre... en sangre
de Vargas!...

DON ALFONSO

¡Confesión! ¡Confesión!... Conozco mi crimen y me arrepiento... Salvad mi alma, vos que sois ministro del Señor...

DON ÁLVARO

(Aterrado.) ¡No soy más que un réprobo, presa infeliz del demonio! Mis palabras sacrílegas aumentarían vuestra condenación. Estoy manchado de sangre, estoy irregular... Pedid a Dios misericordia... Y esperad..., cerca vive un santo penitente... podrá absolveros... Pero está prohibido acercarse a su mansión... ¿Qué importa? Yo que he roto todos los vínculos, que he hollado todas las obligaciones...

DON ALFONSO

¡Ah! Por caridad, por caridad...

DON ÁLVARO

Sí; voy a llamarlo... al punto...

DON ALFONSO

Apresuraos, padre... ¡Dios mío! *(Don Álvaro corre a la ermita y golpea la puerta.)*

DOÑA LEONOR

(Dentro.) ¿Quién se atreve a llamar a esta puerta? Respetad este asilo.

DON ÁLVARO

Hermano, es necesario salvar un alma, socorred a un moribundo: venid a darle el auxilio espiritual.

DOÑA LEONOR

(Dentro.) Imposible, no puedo, retiraos.

DON ÁLVARO

Hermano, por el amor de Dios.

DOÑA LEONOR

(Dentro.) No, no retiraos.

DON ÁLVARO

Es indispensable, vamos. *(Golpea fuertemente la puerta.)*

DOÑA LEONOR

(Dentro, tocando una campanilla.) ¡Socorro! ¡Socorro!

ESCENA X

Los mismos y doña Leonor, vestida con un saco y esparcidos los cabellos, pálida y desfigurada, aparece a la puerta de la gruta, y se oye repicar a lo lejos las campanas del convento

DOÑA LEONOR

Huid, temerario; temed la ira del cielo.

DON ÁLVARO

(Retrocediendo horrorizado por la montaña abajo.) ¡Una mujer!... ¡Cielos!... ¡Qué acento!... ¡Es un espectro!... ¡Imagen adorada!... ¡Leonor! ¡Leonor!

DON ALFONSO

(Como queriéndose incorporar.) ¡Leonor!... ¿Qué escucho? ¡Mi hermana!

DOÑA LEONOR

(Corriendo detrás de don Álvaro.) ¡Dios mío! ¿Es don Álvaro?... Conozco su voz... Él es... ¡Don Álvaro!

DON ALFONSO

¡Oh furia! Ella es... ¡Estaba aquí con su seductor!... Hipócritas!... ¡¡Leonor!!

DOÑA LEONOR

¡Cielos!... ¡Otra voz conocida!... Mas, ¿qué veo? *(Se precipita hacia donde ve a don Alfonso.)*

DON ALFONSO

¡Ves al último de tu infeliz familia!

DOÑA LEONOR

(Precipitándose en los brazos de su hermano.) ¡Hermano mío!... ¡Alfonso!

DON ALFONSO

(Hace un esfuerzo, saca un puñal y hiere de muerte a Leonor.) Toma, causa de tantos desastres, recibe el premio de tu deshonra... Muero vengado. *(Muere.)*

DON ÁLVARO

¡Desdichado!... ¿Qué hiciste?... ¡Leonor! ¿Eras tú?... ¿Tan cerca de mí estabas?... ¡Ay! *(Se inclina hacia el cadáver de ella.)* Aún respira... aún palpita aquel corazón todo mío... Ángel de mi vida... vive, vive, yo te adoro... ¡Te hallé, por fin..., sí, te hallé... muerta! *(Queda inmóvil.)*

ESCENA ÚLTIMA

Hay un rato de silencio; los truenos resuenan más fuertes que nunca, crecen los relámpagos y se oye cantar a lo lejos el "Miserere" a la comunidad, que se acerca lentamente

Aquí, aquí. ¡Qué horror! *(Don Álvaro vuelve en sí, y luego huye hacia la montaña. Sale el padre guardián con la comunidad, que queda asombrado.)*

PADRE GUARDIÁN

¡Dios mío!... ¡Sangre derramada! ¡Cadáveres!... ¡La mujer penitente!

TODOS LOS FRAILES

¡Una mujer!... ¡Cielos!

PADRE GUARDIÁN

¡Padre Rafael!

DON ÁLVARO

(Desde un risco, con sonrisa diabólica, todo convulso, dice): Busca, imbécil, al padre Rafael... Yo soy un enviado del infierno, soy el demonio exterminador... Huid, miserables.

TODOS

¡Jesús, Jesús!

DON ÁLVARO

¡Infierno, abre tu boca y trágame. Húndase el cielo, perezca la raza humana; exterminio, destruc-

188

ción!... *(Sube a lo más alto del monte y se preci-pita.)*

EL PADRE GUARDIÁN Y LOS FRAILES

(Aterrados y en actitudes diversas.) ¡Misericordia, Señor! ¡Misericordia!

CAE EL TELÓN.

INDICE

ESTE LIBRO
SE ACABÓ DE IMPRIMIR
EL DÍA 21 DE SEPTIEMBRE DE 1970
EN LOS TALLERES GRÁFICOS
CLOSAS-ORCOYEN,
MARTÍNEZ PAJE, 5
MADRID